PIVI
I I

Christophe Fricker

Larkin Terminal

Von fremden Ländern und Menschen

Plöttner Verlag

Bibliografische Informationen der Deutschen Nationalbibliothek: Die Deutsche Bibliothek verzeichnet diese Publikation in der Deutschen Nationalbibliografie; detaillierte bibliografische Daten sind im Internet über www.d-nb.de abrufbar.

Alle Rechte der deutschen Ausgabe
© Plöttner Verlag GmbH Co. KG 2009

1. Auflage
ISBN 978-3-938442-63-0

Satz & Layout: Plöttner Verlag
Umschlaggestaltung: Franziska Becker / trafik – Büro für Gestaltung
Foto Umschlag: Mark Myles Shelford
Lektorat: Anja Junghänel
Druck: CPI Moravia Books

www.ploettner-verlag.de

Was du tun willst, tue bald.
(Joh 13,27)

What am I doing here?
(Bruce Chatwin)

Wer seid ihr? Lenkt euch Hoffnung, der ihr traut?
(Edgar Bowers)

Das ungeleerte Pferd
(Anke)

In Köln fange ich an, denn hier wohnt Anke, und Anke kann mir helfen. Ich frage sie, ob es einen Gegenstand gibt, der die bewegte Geschichte ihrer eigenen Weiterreisen von Kontinent zu Kontinent verkörpert. Eine Herzenssache, die Geborgenheit verspricht und zugleich ihr Wandererleben spiegelt, die an Wegmarken Entscheidungen erleichterte.

Anke gehört zu den Menschen, die einen Flug über den Atlantik buchen, wenn sie nachdenken müssen. Sieben Stunden lang ruhig sitzen, auf das grönländische Eis sehen, das unter den Gedanken schmilzt. Ankes gefährdetes Leben war an manchen Tagen ein Lächeln aus dem Nachtbus, das für Augenblicke sichtbar war, da sie mit anderen zusammenstand und wie ein Flüchtling aussah, da Zivilisationen über die Erde strichen wie Wüstenwinde und in den Stromlinien der Zeit unauffällig wurden. Ich will von ihr wissen, wie sie die Überfülle dessen, dem sie sich aussetzt, meistert und überlebt. Ich will wissen, ob es für sie etwas gibt, was sich nicht ändert, wenn alles in Fluß gerät, was die Wahrheit sagt, nichts als die Wahrheit und niemals die ganze Wahrheit, ein Zeichen, das nie ausgeschöpft ist, auch wenn sie erschöpft ist. Einen Gegenstand, der nicht nachgibt wie eine Begründung, die ihren Dienst getan hat.

Anke eröffnet mir, daß sie mit zwölf eine knapp unterarmhohe Pferdestatuette geschenkt bekam, die in ihrem Wiesbadener Elternhaus auf dem Fenstersims steht. Noch niemandem sonst hat sie davon erzählt. Aber sie scheint auf eine Gelegenheit gewartet zu haben. Sie hält, so wirkt es jedenfalls, nichts zurück, und weiß schon, was sie mir sagen will.

„Man denkt ja über sein Leben nach", sagt sie, und wir gehen am Rheinufer entlang, den Dom im Blick, in dessen Nähe sie inzwischen als Doktorandin der Anglistik wohnt. Anke ist pragmatisch – einmal riet sie mir, in einer Beziehung so schnell wie möglich zusammenzuziehen: „Wenn es schiefgeht, hat man wenigstens nicht so viel Zeit verloren." Heute frage ich sie nach Symbolen der Dauer.

Lange, sagt sie, habe das Pferd ein Schattendasein geführt. Das habe sich erst geändert, als sie mit sechzehn nach Italien zog, um in Duino auf das United World College of the Adriatic zu gehen, eine internationale Schule, die im Schloß der Fürsten von Thurn und Taxis untergebracht ist. In der Nähe von Triest gelegen, wo sich römische, slawische und germanische Kulturen trafen, zeigt die Gegend nicht nur Spuren weit zurückliegender Vergangenheiten, sondern auch Gräben und Bollwerke aus dem Ersten Weltkrieg. Immer war es eine Region des Übergangs. In Blickweite an der adriatischen Bucht liegt Slowenien, das in einem kurzen Kampf seine Unabhängigkeit gewann; wer am Hafen entlanggeht, hat hinter sich das Schloß, das einst Rilkes Aufenthalt war, und sieht abends, wenn er aus dem Hafen hinaus nach Westen schaut, die untergehende Sonne.

Anke mußte sich entscheiden, was sie nach Duino mitnehmen wollte, und das Wörterbuch war dem anvisierten Leben näher als das Pferd, das in ihrem Zimmer zu Hause in Wiesbaden blieb.

„Es steht auf Rollen und wirkt deshalb etwas ungelenk, ein bißchen wie ein geduckter Hund", lacht sie.

Mitten um den bauchigen Körper herum verläuft eine Naht, die sich öffnen läßt. Man kann das Pferd aufklappen. Damit gibt es einen Ort, an dem ein geheimer Wunsch aufbewahrt werden kann. Woran ist nicht alles vor einem großen Umzug zu denken, was ist nicht alles zu fürchten und zu hoffen. Auf schönes Papier mußte der Wunsch geschrieben werden, denn es ging um Entscheidendes, und in schöner Schrift mußte er niedergeschrieben sein, denn das Pferd mußte den Wunsch lesen können. Was es genau war, sagt Anke mir nicht, das bleibt zwischen Autorin und Huftier. Daß sich der Wunsch erfüllt hat, sei aber der erste Beweis für die Kraft des Pferdes gewesen. Sie habe immer Angst davor gehabt, daß sich irgend jemand, der in dem Haus saubermacht, in seiner Gründlichkeit auch das Pferd vornehme, es aufhebe und drehe, die Luke öffne und alles lese. Ob das einmal passiert ist, weiß sie nicht.

„Vielleicht weiß meine Mutter oder die Putzfrau alles!" sagt Anke hochfahrend, als sei sie gerade selbst einem Geheimnis auf die Spur gekommen. Solange sie jedenfalls nicht wisse, ob schon einmal jemand ihre Mitteilungen gelesen habe, wirke die Magie.

Anke denkt nicht immer an das Pferd, aber wenn sie nach Hause fährt, sieht sie nach ihm. Und wenn sie meint, daß es Zeit für eine große Veränderung sei, schreibt sie wieder einen Wunsch nieder und legt ihn in den Hohlraum im Innern des Pferdes.

„Zu oft darf man das nicht machen", erklärt sie, denn der Raum ist begrenzt, und die Zettel dürfen nicht wieder herausgenommen werden. Wie im Leben selbst gibt es eine Grenze, nichts kann zurückgenommen werden, und eins baut auf dem anderen auf. Und jede Eingabe hat ihre Zeit – immer schreibt Anke Monat und Jahr dazu.

Wir gehen über die Rheinaue, den Dom im Blick, gegenüber dem Viertel, das eigens für eine Seifenoper gebaut wurde, für die „Anrheiner" des Westdeutschen Rundfunks, für den auch Ankes Freund Dimitris arbeitet. Die Fassaden, die wir dort drüben sehen, gehören der Kneipe, der Spedition, dem Fahrradladen und dem Zeitungshaus, die es in der kleinen Welt der „Anrheiner" gibt. Bauten aus verschiedenen Jahrzehnten spiegeln die Geschichte einer Stadt, die es nie gab. Wünsche und Hoffnungen, deren Außenseite wir vom Niemandsland der Rheinaue aus sehen.

Für Zettel, sagt Anke, hat sie eine eigenartige Vorliebe. Es beginnt zu regnen, wir haben nur einen Schirm, und so sind wir uns sehr nah, als sie weiterspricht. Wenn sie aus dem Haus geht, hinterlasse sie immer einen Zettel, auf dem steht, wo sie hingehen werde. Selbst wenn sie joggen geht, hinterläßt sie die Route.

„Ich hab da kein Handy dabei, und wenn ich im Wald ermordet werde, findet mich sonst keiner."

Die Gefahren des Alltags sind vielfältig: Als Anke in der Bibliothek in Yale (auch dies einer ihrer Aufenthalte) wie rasend die Beschreibung eines Kurses, den sie in Köln unterrichten soll, in den Computer tippt, weil es keine Stunde länger warten kann und sie ihren eigenen Rechner nicht ans Internet anschließen kann, heulen die Sirenen: Die Bibliothek wird evakuiert, im Postraum der Universität wurde ein Sprengsatz vermutet. Wer in ihrer Wohnung in New Haven nachgesehen hätte, hätte einen Zettel gefunden: „Ich bin in der Bibliothek."

Botschaften helfen, die Angst davor zu mildern, keine Spuren zu hinterlassen: „Ich werde mir eines Tages noch den Namen auf den Rücken tätowieren lassen, damit ich nach dem nächsten Tsunami identifiziert werden kann."

Aber erst einmal findet sie nichts aufregender, als alte Einkaufszettel, oder Visitenkarten, oder auch leere Blätter in Büchern zu finden, die sie aus der Uni-Bibliothek ausleiht. Der Reiz des Konkreten – manchmal ist es eine Museumskarte, auf der sogar ein Datum steht.

„Das beste war neulich die dritte Mahnung über eine Gasrechnung von 1992", triumphiert sie, als würde dieser Fund eine Theorie bestätigen. Sie selbst läßt auch gern, zufällig natürlich, in Büchern etwas liegen: eine Bordkarte, oder eine Kneipenrechnung.

Über uns ist die Wolkendecke inzwischen wieder aufgebrochen, und einige Sonnenstrahlen leuchten uns voraus. Anke stammt aus einem bildungsbürgerlichen Haus. An der Wand im Eßzimmer der Eltern hängen drei Karten: Deutschland, Europa und die Welt, und jeder Besucher muß zeigen, wo er herkommt. Odysseus, der große Reisende, hatte die Idee zu dem Trojanischen Pferd gehabt, und zu Besuch bei Ankes Eltern hätte er seine Heimatinsel Ithaka zeigen müssen. Von seiner Erfindung erzählt Homer im 8. Gesang seiner *Odyssee*, Vergil im 2. Gesang der *Aeneis*. Die Voß'sche Übersetzung spricht vom „trüglichen Roß", ja vom „bergähnlichen Roß" und seinem „krummgewölbten Bauch".

Ankes Vater und Mutter sind Lehrer, und Anke hat Latein und Griechisch gelernt, weil man aus guten Gründen Latein und Griechisch lernt. Ich frage, ob sie deshalb auch an den martialischen Hintergrund des Pferdes denke und ob ihr Bilder von Gewalt und Mord dazu einfallen. Immerhin verbindet sich mit dem Symbol eine Schlacht, ein Krieg. Läßt einen das nicht mißtrauisch werden?

Auch hier kommt ihre Antwort schnell und mit echter Empörung: „Das hängt doch davon ab, auf welcher Seite man steht. Warst du etwa für die Trojaner?" Man müsse schließlich an Geschick und Klugheit denken, durch die die vierzig Mann aus dem Pferd die waffenstrotzende feindliche Stadt eroberten.

Mittlerweile sind wir am Dom angekommen, und wir treffen Ankes Freund Dimitris. Ob er auch Gegenstand eines Wunsches ist, den sie dem Pferd anvertraut hat, frage ich nicht.

Neunzehn
(Wiesbaden)

1

Sissi auf dem Pferd, in Bad Ischl. Im Hintergrund hört man „Von fremden Ländern und Menschen", das erste Stück aus Schumanns Klavierzyklus *Kinderszenen*. Der fremde Mensch aus einem fremden Land, der nun auftritt, ist der bayerische König Ludwig II. Ludwig und Sissi sehen einander an, beginnen zu reden. Das Musikstück wird ausgeblendet, ersetzt durch die zweite Kinderszene, „Kuriose Geschichte". Beide Monarchen entschuldigen sich dafür, daß sie einander so lange nicht aufgesucht haben – sie war nicht bei seiner Krönung, er nicht bei ihrer Hochzeit. Jetzt hat er aber nach ihr gesucht. Dazu die dritte Kinderszene: „Hasche-Mann". Sissi sagt kokett, er werde der schönste König Europas werden. Er antwortet, er wolle immer nur weg von allen Menschen, hin zu ihr. Zum Klang der vierten Kinderszene, „Bittendes Kind", antwortet Sissi, daß sie und er einander immer ähnlicher würden.

Visconti verband Schumann und Ludwig, und ich saß gebannt vor dem Fernseher. Mit sechs Jahren kam ich in die Schumann-Schule, die Grundschule in der Schumann-Straße, ein paar Laufminuten von unserem Haus entfernt. Zu Hause spielte ich Schumanns Klavierstücke, Stücke über fröhliche Landmänner und Hasche-Männer (vor meinem geistigen Auge stand ein Drogenhändler), besonders gern das erste, „Von fremden Ländern und Menschen". Das war das sehnsüchtige. Der nächste Film, den ich sah, handelte von Schumann, der sich hinter schweren Vorhängen verbarg. Portieren hießen die, lernte ich. Wir hatten die auch, aber sie ließen sich nicht gegen einfallendes Licht einsetzen, dem ich ausgesetzt blieb. Im Gegensatz zu Ludwig und Schumann war ich zum Wahnsinn untauglich, und das wurmte mich. Trotzdem tat ich mein Bestes, mich zu verbergen, vor allem in der Welt vergangener Generationen meiner Familie, und in dem Haus, das sie gebaut hatten.

Einige Jahre vor Schumanns Tod und Ludwigs Krönung, als Regina, die Großmutter meines Großvaters, sechs Jahre alt war, wurde sie von ihrer armen italienischen Familie über einen Mittelsmann an eine russische Großfürstin verkauft. Seitdem wurde sie in Biebrich am Rhein (heute ein Vorort von Wiesbaden) in ihrer Wohnung gefangen gehalten, geknebelt und so sehr malträtiert, daß die Nachbarn, von Schreien aufgeschreckt, die Behörden verständigten. Sogar in der Zeitung habe es gestanden. Das las ich in einem ausführlichen Brief an Ihre Kaiserliche Majestät, die Zarin, den wir im Keller fanden. Dem wollte ich nachgehen, und so sah ich mir alle Zeitungen aus der Zeit an, was lang dauerte, weil es das Revolutionsjahr 1848 war, in dem plötzlich an allen Ecken und Enden die neue Pressefreiheit ausgekostet wurde. In Wiesbaden erschienen zeitweilig drei Zeitungen. Ich saß im dunklen Lesesaal der Landesbibliothek und blätterte und blätterte riesige Seiten um, eine nach der anderen, und war der einzige, der Geräusche machte. Gefunden habe ich nichts.

Ich kehrte zurück ins Haus, das in der Gründerzeit Reginas Mann Friedrich gebaut hatte, dessen Porträt im Treppenhaus hing. Meine Eltern wohnten im ersten Stock, mein Bruder und ich im zweiten. Nachmittags wurde ich in die Wohnung im Parterre geschickt, wo meine Großmutter mit ihrer Mutter wohnte. Ich sollte mich hineinschleichen und von einer Zimmertür aus beobachten, ob sich die Decke, unter der meine Uroma Mittagsschlaf hielt, hob und senkte. Das ließ sich von der Tür aus nicht feststellen, aber ich ging auch nicht näher heran, weil ich Angst hatte, zuviel Lärm zu machen, sondern berichtete wacker vom Heben und Senken der Decke. Der „Kolder", um hessisch genau zu sein. Als sie wieder aufgewacht war, erzählte meine Uroma mir vom 19. Jahrhundert – Geschichten aus dem Milieu von Schlossern und Gärtnern, die sich nicht zu dem Bild des Hauses fügten, in das ihre Tochter eingeheiratet hatte. Die Hochzeit hatte, so hörte ich, im Krieg stattgefunden, als mein Großvater für kurze Zeit von der Ostfront Urlaub erhielt. Drei Jahre darauf sei er aus Rußland so ausgemergelt zurückgekommen, daß er sich kaum davon erholte. Er hörte – obwohl er Protestant war – Radio Vatikan, und Symphonien von Mahler, erfüllte seine Pflicht im Dienste der Stadt Frankfurt, in die er morgens einpendelte, und starb lange bevor ich geboren wurde. Da ich dieser Geschichte so brav zugehört hatte, wickelte meine Uroma mir eine Mark in ein Taschentuch und ließ mich erfüllt lächelnd wieder gehen. Einmal habe ich von ihr geträumt, von ihrer winzigen Gestalt, ihrer geistigen Unerschütterlichkeit. Sie stand mir gegenüber, und ich sah einen Menschen, der nicht aus Fleisch und Blut bestand, sondern nur aus Liebe.

Die Schwester meiner Großvaters, meine ernste Großtante, hatte nach dem Krieg dafür plädiert, den Stuck von den Wänden zu schlagen, und sie hatte auch damit anfangen lassen. Dann heiratete sie ein Brauereibesitzer, was sie und dadurch auch mich bei meinen pubertierenden Mitschülern in ein gutes Licht rückte. Die ernste Großtante zog in die Nähe von Köln, denn die Brauerei war eine Kölsch-Brauerei. Ihr Mann besaß dort ein Yacht-Haus, was mich wunderte, weil die Kölner Bucht doch nur eine Bucht im übertragenen Sinn ist. Es stellte sich aber heraus, daß es sich um ein Jagd-Haus handelte, das der regionalen Aussprache unterzogen worden war. Sie kam nie zu Besuch, aufgrund von Ereignissen, die wohl Jahrzehnte zurücklagen. Ich bedankte mich einmal im Jahr, am ersten Weihnachtstag, telefonisch für das Geschenk, das die Tante mir jeweils geschickt hatte, und hörte schon nach dem zweiten gestammelten Satz, nun mache man lieber Schluß, sonst werde das Gespräch zu teuer. Als die ernste Großtante doch einmal zu Besuch kam, war sie gar nicht so ernst, sondern sagte vor dem Zu-Bett-Gehen verschmitzt: „Vielen Dank für Speis und Trank, Sitzplatz und Beleuchtung." Das war eine der ersten metrischen Zeilen, die ich jemanden sagen hörte. Ich wollte ein Foto von ihr machen, am Eßzimmertisch, den wir eben abgeräumt hatten, die blauen Portieren und die große Uhr im Hintergrund. Ich machte ein Foto, merkte aber erst nach der Abreise der Tante, daß ich keinen Film eingelegt hatte. Kurz darauf starb sie. Fotografie und Sterben gehören seither für mich zusammen.

Im Treppenhaus hingen Familienfotos aus der Zeit vor den Kriegen. Den einen Pol dieser vergilbten Aufnahmen bildete der vollbärtige Ahn, den anderen ein albernes weißes Hündchen (verschiedene Aufnahmen zeigen verschiedene Ausführungen desselben Modells). Dazwischen standen oder saßen die Kinder des Hauses, und nur wenige Angeheiratete. Die eine wollte einen Zahnarzt heiraten, das durfte sie nicht („Einen Zahnarzt! Was sollen die Leute denken!"), der andere vergnügte sich lieber in männlicher Gesellschaft südlich der Alpen; die Fotos von Maskenbällen besitzen einen gewissen Charme. Der dritte heiratete eine Katholikin, sodaß die beiden zwar auf dem Familienfoto gemeinsam zu sehen sind, aber nicht beide im Familiengrab beerdigt liegen. Dabei hatte sie sich schon zu Lebzeiten auf den schönen Blick über Sonnenberg gefreut, der den Friedhof auszeichnet.

Geschichte war Gegenwart, und der Rest war Tagesgeschäft, mit dem ich nicht viel zu tun haben wollte. Ich fand verschiedene, mehr oder weniger vergilbte Fotos von Haus und Garten, aus verschiedenen Blickwinkeln, sah darauf die im Krieg zerstörte Grotte aus Lavasteinen im hinteren Teil des Gartens, oder die junge Kastanienallee, von der heute nur noch drei riesige Bäume übrig sind. Ich lernte Worte wie „Altan" und „Balustrade", und lehnte fast alles andere ab. Vor allem die Manifestationen des 20. Jahrhunderts, die in unserer Straße, in aufdringlicher Nähe zu Altan und Balustraden, standen: DIE BLOCKS, vier pastellfarbene Wohnanlagen, und die Tankstelle, die allerdings im Lauf der Jahre als Quelle für Sonntagszeitungen und die zwei großen „B"s des Abiturienten (Bier und Benzin) Bedeutung gewann. Schon komisch, daß die Shell-Muschel zum Heimatgefühl gehört.

Zusammen mit den Platanen und der Rotbuche, die ungefähr genauso alt sind, warfen die Kastanien im Herbst so viel Laub ab, daß das Familienleben vom Geruch nasser Blätter, vom Rechen und Kastaniensammeln bestimmt wurde. Wenn Ende November alles auf einen Berg zusammengerecht war, rief meine Großmutter bei einer Spedition an, die DEN CONTAINER schickte, in den wir im Lauf von zwei Tagen alles hineinwarfen. Meine Großmutter stand auf dem Laubberg in dem Container und überschaute ihre schwitzende Familie, die Körbe und die Handschuhe. Dann gab es Kaffee und Kuchen.

Kuchen gab es immer, wenn noch Hefe da war, was mir nicht einleuchtete. Daß so ein kleines Hefepäckchen so viel Aufwand verursachen sollte... Aber es durfte nichts umkommen. Im Waschbecken stand immer eine Plastikschüssel, um fließendes Wasser aufzufangen, das noch benutzt werden konnte. Wenn gebacken wurde, genoß ich den Geruch, der früh morgens durchs Treppenhaus in die oberste Etage stieg, in der ich – alle Türen hatte ich offen gelassen – aufwachte. Mein Zimmer lag außerhalb der obersten Wohnung, die durch eine schwere Tür von ihrem Vorraum und eben meinem Zimmer abgetrennt war. Irgendwann hatte hier DER BIO gewohnt, Alfred Biolek. Seine Nebenkostenrechnung sollte nicht verfälscht werden, und daher gab es in dem Zimmer, das jetzt meines war, keine Zentralheizung. Das habe ich aber weder DEM BIO noch meiner Oma je nachgetragen. Es war ein schönes Zimmer, das völlig dominiert wurde von dem riesigen Schreibtisch, der mein Schutzschild und mein Aufenthalt war. Ich schrieb verkorkste Gedichte und las, und war immer unangenehm berührt, wenn ich feststellte, daß jemand, von dem ich las, an demselben Ort geboren und gestorben war.

Mein Bett stand unter der Dachschräge, direkt unter einem Fenster, sodaß ich mich auf die Matratze stellen und am Fensterrahmen hochziehen konnte. Aus der Renaissance stammt der Kupferstich, der einen Mann mit Mantel und Stab zeigt; er befindet sich noch unterhalb der großen Sphärenkugel, aus der Sterne, Sonne und Mond die Erdenscheibe beleuchten, steckt aber seinen Kopf hinaus in das freie Universum. Ich steckte meinen Kopf aus meinem Fenster und dachte: Wenn ich groß bin, möchte ich nach Groß Gerau und nach Indien! Als ich sechs war, waren das meine Traumziele. Und ich träumte davon, einmal aus der Ferne an diese Heimlichkeit, an die Vertrautheit und an meine Voraussicht zurückzudenken. Ich malte meine Zeichenblöcke mit Fahnen voll und schrieb dutzende Briefe an Botschaften in Bonn mit der Bitte, mir Informationen über ihre Länder zu schicken. Von Kanada erhielt ich eine Wandkarte, von Benin einen Prospekt mit rotem Stern. Ich lernte, daß Malaysia eine Wahlmonarchie ist und daß das Volk, das in Äquatorial-Guinea lebt, „Bevölkerung von Äquatorial-Guinea" heißt.

Mein Wiesbaden war der alles übertönende Geruch von nassem Laub, waren Zweige, marmorne Locken, ein Weiher. Ich spielte Schumann, träumte von Groß Gerau und imaginierte mir zum ersten Mal eine kleine Welt zusammen. Sie reichte von unserem Haus bis in DIE STADT.

2

Meine Eltern und ich gingen durch den Park, an Reihen von Platanen vorbei, auf dem Weg für die Menschen. Parallel, auf der anderen Seite des Baches, führte der Reiterweg den Rambach entlang. Einmal habe ich dort ein Pferd gesehen, sonst nie jemanden. Wir fütterten die Enten mit trockenem Brot, wir sahen auf die Tennisplätze. Warum man Tennis spielt, habe ich nicht verstanden. Die Häuser am Weg entlang haben Gartenausgänge, schmiedeeiserne Tore, einige sind von Efeu bewachsen. Der Park geht in den Kurpark über, links steht die Statue von Gustav Freytag, ein bißchen weiter diejenige des „Kurdirektors Ferdinand Hey'l". Es war beruhigend zu wissen, daß jemand für diesen Park gesorgt hatte, und daß die, die heute für ihn sorgten, ihren Vorgänger ehrten. Frankfurt hat Banken, Wiesbaden hat Bänke.

Auf der anderen Seite des großen Weihers liegt das Kurhaus. Dort gibt es einen Biergarten, in dem an sommerlichen Sonntagen Jazz gespielt wird. Drinnen befindet sich der Thiersch-Saal, in dem das Symphonie-Orchester seine Konzerte gibt. Einmal habe ich hier Webern gespielt, und jeden einzelnen Ton in die Weiten des Raumes verfliegen hören. Manche Menschen in Wiesbaden denken, daß ins Konzert zu gehen sie von ihrem Husten befreien wird. Für sie ist Mahler ein bißchen zu modern, und Kunst ist immer noch Religion. Man kleidet sich tiefschwarz. Ein Oberbürgermeister nannte den Thiersch-Saal „den schönsten Konzertsaal Deutschlands" (man lächelte), „ja vielleicht sogar der ganzen Welt." Das war selbst den Wiesbadenern zu hoch gegriffen: Sie lachten ihren Oberbürgermeister aus. Vielleicht erinnerte sich auch jemand daran, daß es Kaiser Wilhelm II. war, der bei der Eröffnung des von Friedrich von Thiersch gebauten Hauses gesagt hatte, das Kurhaus sei das schönste der Welt.

Wer das Kurhaus durch die schweren Drehtüren auf der Vorderseite verläßt, steht zwischen großen Säulen und sieht auf das Bowling Green. Eine der schönen Aussichten auf die Stadt. Der Frankfurter Schriftsteller Alban Nikolai Herbst entwickelte in seinem Zukunftsroman *Thetis* die Vision eines Europas nach der Schmelze der Polkappen. Während der Balkan in Chaos und Barbarei versunken ist und sich in der Mitte mühsam Stabilität erhält, gibt es einige Inseln im Westen, auf denen die alten Familien mit intakten Stammbäumen Golf spielen und ihre Weine feiern. Wiesbaden mit dem Rheingau ist so eine Insel. Damen in dicken Pelzen mit einem dürren Suppenhund an der Leine gehen hier spazieren.

Als ich Mitte der Neunziger Jahre für die regierende Fraktion im Rathaus arbeitete, mußte ich für eine wirtschaftspolitische Tagung eine Reihe von dramatisierenden Statements vorbereiten, um die Diskussion in Gang zu bringen. Das war, wie meine Kollegen mir sagten, gar nicht leicht, denn selbst zu Zeiten der Depression stand Wiesbaden gut da. Wir hatten einige Mühe, uns Untergangsvisionen aus den Fingern zu saugen.

Eine Irritation bildete für mich die kugelförmige Skulptur, die im Skulpturenpark beim Theater steht, nur wenige Meter vom Kurhaus entfernt. Ihre Schale wirkt wie aufgebrochen und gibt den Blick frei auf einen Kern. Was bedeutete das? War das ein Ei? Warum sah es dann nicht aus wie ein Ei, und warum würde ein Ei an der Wilhelmstraße stehen? War es die Welt? Aber die war nicht kugelrund, das wußte ich. Diese Irritation ist nie wirklich verschwunden. Die Wilhelmstraße selbst war gesäumt von Fahnen, die regelmäßig ausgetauscht wurden, von bekannten und von unwahrscheinlichen – die iranische und die libysche fielen mir jedes Mal auf.

Wenn wir Schulstunden schwänzten, ging es zu einem Freund, der, weil er der jüngste in einer langen Reihe von Trägern des gleichen Vornamens war, von uns „der Achtzehnte" genannt wurde. Der Achtzehnte hatte genaue Vorstellungen von seiner Zukunft, und hatte auch schon für die Zeit nach seinem Ableben Vorkehrungen getroffen. An seinem Schreibtisch sitzend verkündete er uns: „Die Hunde sollen neben mir auf unserer Terrasse begraben werden. Meine Schwester geht an das Stift Sankt Katharinen etc. pp." Dann stellte er Wagners *Rienzi* an, so laut, daß die ganze Straße damit beschallt wurde.

„Stört das nicht deine Eltern?"

„Nein, nein, die schlafen ja schon."

Im Garten seiner Familie spielten wir Croquet und befanden, die beste Lösung für viele Probleme (darunter: die Moderne) sei, daß man sie ignoriere. Die aktivste Form des Widerstands gegen die heutige Gesellschaftsordnung bestand darin, daß wir Golfbälle auf das Bundeskriminalamt feuerten. Bestätigt wurden wir von einem Lehrer, der uns erklärte, inwiefern es seit Dante bergab gegangen war. Er unterrichtete uns um sieben Uhr morgens, im Dunkel einer Bibliothek, in Logik und lateinischer Konversation. Wir wurden eingeschworen auf Eigenartiges, das der Fülle der Welt zugrundliegt und der Rastlosigkeit darin Raum gibt.

3

Am zentral gelegenen Hauptbahnhof, wie alles in Wiesbaden um die Jahrhundertwende gebaut, fährt der ICE ein, und aus der 1. Klasse steigen alleinreisende Herren in Anzügen mit überregionalen Tageszeitungen unter dem Arm. Spät abends, wenn der letzte Zug sich geleert hat, bleibt dumpfes Licht im Sandstein hängen. Stille, und die Erinnerung, und erst langsam dämmert es dem Verweilenden, daß es weitergeht. So in etwa klingt die vierte Symphonie von Brahms.

Verläßt man Wiesbaden über seine Hausautobahn, die Route 66, und biegt auf die A5, wird man sich warm anziehen. Der Rasthof Wetterau gilt als letzter Außenposten an der Handelsstraße nach Hessisch-Sibirien. Die Städte auf dem Weg liegen fernab der Landeshauptstadt, der Weltkurstadt. Der Daheimgebliebene seufzt: Darmstadt, Kassel, das sind so Vorstellungen...

Mit neunzehn wollte ich über eine dieser Autobahnen mein neunzehntes Jahrhundert verlassen.

The Y-Block
(Windhuk)

1

Ich sehe aus einem Fenster des Hotels Kalahari Sands auf die Independence Avenue in Windhuk. Die University of Namibia hat mich zum Studium zugelassen. Es ist dunkel, ich habe eingecheckt, bin in den vierten Stock gefahren und versuche jetzt, aus den Lichtmustern unter mir die Wege herauszulesen, die ich ab morgen oder übermorgen täglich gehen werde. Die ersten zwei Nächte wohne ich im Hotel. Man muß sich seine Träume erfüllen. Auf dem Schreibtisch liegen Briefpapier und ein Kugelschreiber, auf dem Boden liegt meine Hedgren-Tasche. „Das werden Erinnerungen sein, die dir niemand nimmt", hatte ein Freund mir gesagt. Dann reduzierte ich mein Leben auf zwanzig Kilo Gepäck. Ich packte alles, was bisher ein unvermessenes Feld gebildet hatte, in eine Tasche, die etwas mühevoll zu tragen ist. Mein Leben war zu einer zu schweren Reisetasche geworden. Daraus hole ich jetzt eine Postkarte, die ich am Flughafen gekauft habe, und schreibe an Judith nach Deutschland.

Ein paar Monate vorher, an meinem 20. Geburtstag, saßen Judith und ich am Computer. Eine Uni auf jedem Kontinent wollten wir finden. Ich würde mich bewerben und dann entscheiden. Keine der üblichen, sondern irgendwie abgelegene. University of the South Pacific in Suva, auf den Fidschi-Inseln, zum Beispiel. Oder die Jawaharlal Nehru University in Neu Delhi, in Indien. Einige Tage darauf fuhr ich in die indische Botschaft, ließ mir ein paar Formulare geben – wandgroße Kopien ohne lateinische Schriftzeichen, und später sagte mir jemand, die seien für eine ganz andere Universität. Das war mir egal, ich wollte weg. Es war ein Selbstversuch: Ich hatte von dem Krankheitsbild „Motion sickness" (Kinetose) gelesen, dem Inbegriff des Leidens am Apodemialgischen, das unabwendbar ist, und wollte das erleben.

Vom Frühstücksbuffet im Fünf-Sterne-Hotel nehme ich mir an meinem ersten afrikanischen Morgen wenig, nur das, was ich auch in Wiesbaden esse. Ein Brötchen, einen Apfel, Orangensaft, Kaffee. Ich bin ja schließlich kein Tourist, der sich hier den Bauch vollschlagen will.

Dann gehe ich nach draußen, und auf einen Taxifahrer zu: „Zur Uni."

„Zu welcher?"

Die Frage wundert mich, aber ich kann sie beantworten. Immerhin. Einige Kilometer außerhalb werde ich abgesetzt, am Tor zum Campus. Hineinfahren darf er nicht. „Wenn Sie wieder ins Hotel wollen, fahren Sie mit mir. Nehmen Sie ja nicht eins von diesen Piratentaxis, da werden Sie nur ausgeraubt!"

Ich beginne unter dem riesigen, leichten Himmel, der auch die Hügelketten am Horizont erreicht, die Gebäude der Universität zu erkunden. Sie sind weitläufig, einheitlich, sorgfältig angelegt und gepflegt und von großer, organischer Schönheit. Nachdem die ersten Formalitäten geregelt sind, hole ich meine Tasche aus dem Hotel (ich verschweige meinen neuen Kommilitonen gegenüber tunlichst, welches es war), und beziehe ein kleines Zimmer. Die E-Mail, in der ich meine Adreßänderung bekannt gebe, habe ich schon zu Hause formuliert. Ich freute mich darauf, meinen Umzug in die nach einem selbstbewußten König der Ovambo benannte Mandume Ndemufayo Avenue mitzuteilen, und habe schon ein Foto des Straßenschildes gemacht, vor allem wohl, um mir selber meine Anwesenheit hier zu beweisen. Ich genieße das Schwimmen unter den Palmen des Sportzentrums und den Sonnenuntergang, der den hohen Himmel in eine orangefarbene, von Wolken durchzogene Skulptur verwandelt.

Morgens steige ich ohne lange nachzudenken in ein Sammeltaxi, um in die Stadt zu fahren. Instinktiv suche ich nach einem Anschnallgurt, was den Fahrer zu umständlichen Gesten verleitet, die mir klarmachen sollen, wie ich dieses Instrument unter dem Sitz hervorzaubere, während die anderen Passagiere zu lachen anfangen. So eine bescheuerte Idee kann wieder nur ein Weißer haben. Die Fahrt kostet einen Bruchteil des gestrigen Preises (gestern wurde ich quasi ausgeraubt) und bietet den Vorteil, daß erst alle anderen an ihre Zielorte gebracht werden, sodaß ich eine Stadtrundfahrt bekomme. Eilig habe ich es ja nicht. In der Innenstadt hält mir ein Zeitungshändler die *Allgemeine Zeitung* vor die Nase, aber ich weise das Blatt empört zurück. Ich frage, was der Unterschied zwischen den beiden anderen Zeitungen ist, und erwarte eine Antwort, die mir Einblick in die verschiedenen politischen Strömungen des Landes erlaubt.

„This one is in English!"

Ich kaufe ein Exemplar des *Namibian*. Wer eine Lokalzeitung unter dem Arm hat, gehört dazu. Ich gehe hin und her, mache pflichtbewußt Fotos in Straßen, die nach Mugabe und Kabila benannt sind, und frage mich, was ich morgen machen werde, wenn ich alles gesehen habe. Ich habe keinen Reiseführer, sondern einen Stadtplan.

In der Kirche treffe ich einen Hotelbesitzer, der mich einlädt. Weil ich nichts anderes zu tun habe, gehe ich gleich am Nachmittag hin. Schnell erklärt er noch zwei Gästen, die gerade aufbrechen wollen, den genauen Weg zur Düne, dann packt er mich ins Auto und fährt los.

„Warst du schon mal auf einer Farm? Willst du meine sehen? Komm."

Wir tauschen höflich Informationen aus, die er erst einmal schweigend aufnimmt.

„Du studierst hier? Wie kamst du denn auf die Idee? Das ist die teuerste Uni in ganz Afrika, und die schlechteste. Naja, wie du meinst."

Ich protestiere, so teuer ist sie nicht, und die schlechteste kann sie auch nicht sein. In meinem Kopf spult sich, während wir nach einer halben Stunden Fahrt aus dem Auto steigen und ins Haupthaus der Farm gehen, eine Liste von Namen der Staaten ab, die ärmer als Namibia sind, oder in denen Krieg herrscht. Während ich so an Sierra Leone und den Tschad denke, führt mich mein Gastgeber durch eine Hintertür aus dem Haus heraus in einen eingezäunten Bereich. Wir stehen vor einem Käfig.

„Guck mal, das sind Fritz und Emma." Zwei Strauße glotzen mich an. Sie stecken den Kopf nicht in den Sand, aber kümmern sich auch nicht weiter darum, daß mein Gastgeber sich in einen Swimming Pool setzt. „Komm."

Ich soll mich dazusetzen. Eine Badehose habe ich nicht. „Das macht doch nichts."

Als er sich dann duscht, sage ich höflich, nun müsse ich nach Hause gehen. Er fährt mich anstandslos zurück in die Stadt.

2

Der Logistik folgt die Langeweile. Ich sitze auf meinem Zimmer in einem Wohnheim, wo aus allen Türen und Lautsprechern Radio Energy sendet, und habe nichts zu tun. Ich komme zu dem Bewußtsein, daß ich nur deshalb nach Namibia gefahren war, weil ich mit mir in Deutschland nichts anzufangen wußte. Wahllos schlage ich den blauen Band mit Gedichten von Stefan George auf, den mir mein Freund Claus mitgegeben hat. Ein Gedicht beginnt mich zu verfolgen:

> *Ist es neu dir was vermocht*
> *Dass dein puls geschwinder pocht?*
> *Warte nur noch diese tage,*
> *Sie entscheiden*
> *Ob du leiden*
> *Oder ob du glück erwirbst.*
> *Ach du weisst dass du nicht stirbst*
> *Ruft es wiederum : entsage!*
> *Warte nur noch diese tage*
> *Sie entscheiden*

Ob du leiden
Oder ob du glück erwirbst.

Ich wiederhole diese Verse, wiederhole sie wieder, schreibe sie auf, schreibe sie wieder auf. Liniertes Papier habe ich gerade gekauft, jetzt schreibe ich ein Gedicht von George darauf ab, und noch einmal. Die Zeilen werden zu einem körperhaften Gegenüber, aus dem Gesprochenen wird ein Sprecher, aus dem Gedicht ein Anspruch. Die Worte üben durch die Intensität ihrer Gegenwart Gewalt aus. Ich habe das Gefühl, in ihnen aufzugehen. „Ist es neu dir was vermocht | Dass dein puls geschwinder pocht?" Nein. Was „meinen Puls geschwinder pochen" läßt, ist längst das Gedicht selbst. Sein Inhalt war mir, bevor ich es kannte, einsichtig gewesen. Das Gedicht stellt in Frage, ob ich etwas, was mir neu vorkommt, nicht doch schon früher hätte erkennen können. Was mich schockiert, ist, daß die Frage ein grelles Licht darauf wirft, wie viel Unerkanntes in mir ist. Aber ich kann nichts planen, und so blieben Kalkül und Warten: „Warte nur noch diese tage, | Sie entscheiden | Ob du leiden | Oder ob du glück erwirbst."

Ich lerne, weil es die zum Sozialisieren gedachte Einführungswoche ist, gleich ein paar Leute kennen. Mit meinem Team „Shark Attack" gewinne ich beim Water Melon Feast einen zweiten Preis im Tauziehen. Im Team ist Geraldine aus Karasburg. Sie hat achtmal Titanic gesehen und jedes Mal geweint. Sie ist aufgeschlossen, freundlich, nimmt mich gleich auf. Sie weiß, wo man einkauft, das beeindruckt mich. Ehrlich gesagt beeindruckt mich schon, daß sie weiß, daß man einkaufen muß, wenn man etwas zu essen haben will. Oder Nay Lin aus Myanmar. Er ist schüchtern, nicht leicht zugänglich, aber wir verstehen uns gleich. Ich als einziger Europäer, er als einziger Asiate. Sein Vater hat ihn beauftragt, doch Konversation zu lernen. Und natürlich Cafu, Kris und Jerome, die Mitglieder des Student Representative Council, die uns jede Frage und jeden Wunsch von den Lippen ablesen. Alle sind richtig muskulös, und die Studentinnen schwärmen von ihnen.

„Cafu ist viel dunkler als Jerome", sagt Geraldine. „Aber Kris ist der netteste."

Sie fragt mich, ob denn der neu gewählte deutsche Kanzler, Schröder, auch ein Demokrat sei. Ich bejahe, und sie nickt befriedigt. So soll ein Regierungswechsel sein.

Ein junger Mann setzt sich zu mir, der sich als Kämpfer der südsudanesischen Widerstandsbewegung SPLA vorstellt. „Bildung", sagt er gezielt, „ist das, was im Kampf zählt. Wenn einer studiert hat an einer Universität, zum Beispiel an dieser University of Namibia, dann sehen alle zu ihm auf."

Ich fühle mich dadurch endlich einmal bestätigt – eine Ausbildung, die etwas wert ist, und ich bin dabei. Gleichzeitig frage ich mich, ob auch Studenten, die nicht in den Sudan zurückkehren, sondern nach Hessen, hier profitieren werden. Immerhin will ich die nächsten Schritte gehen. Vielleicht ein Jahr, oder zumindest zwei Trimester bleibe ich hier, denke ich mir. Das hatte ich mir vorher noch gar nicht überlegt.

Dann geht es zu einer anderen Einführungsparty an den Pool. Drei Leute werden herausgerufen, und schließlich – „and all the way from Germany..." – soll ich mich dazustellen. Als würde ich mich freuen, trete ich vor. Wir sollen unsere Schuhe ausziehen und unsere Hosen hochkrempeln. Hoffentlich muß ich nicht tauchen, oder irgend welchen Sport machen. Jeder von uns bekommt einen kleinen Lorbeerzweig in die Hand gedrückt, und dann sollen wir quer durch den Pool laufen. „Eine schöne Initiation", denke ich erleichtert und laufe in meinem Übermut gleich los. Ich werde zurückgepfiffen, weil noch nicht alle bereit sind, aber dann dürfen wir.

Nay Lin fragt, ob ich mit auf die Semesterparty im Polytechnikum gehen will. Ich lehne ab, das ist bestimmt gefährlich.

„Warum? Was kann passieren? Glaubst du, wir werden vergewaltigt werden?"

Nein, das wohl nicht, aber ausgeraubt vielleicht, oder vielleicht einfach nur gefragt, warum wir hier sind.

„Na gut, dann gehen wir zu meinem Freund Pierre." Nay Lin berichtet von Freunden seines Vaters, einem wallonischen Ehepaar, das uns zum Essen eingeladen habe.

Nach einem angenehm langen Fußmarsch durch die Dunkelheit von Ludwigsdorf, einem gehobenen Viertel, überblicken wir die Stadt, auch Stadtteile, die nicht auf meiner Karte eingezeichnet sind. Vielleicht ist auch das Problemviertel Katutura darunter. Das Haus von Pierre ist komfortabel, und die Dame des Hauses steht in der Küche. Sie erfährt, wie mein Vorname geschrieben wird und spricht daher mit mir französisch. Ohne viel Zeit zu verlieren sagt sie mir, ich solle bitte Gemüse in kleinste Würfelchen schneiden.

„Minuscules!"

Die zugespitzte Direktheit der Anweisung zeigt mir, wie wichtig sie ist, und ich freue mich, daß ich helfen kann. Ich schneide und schneide, und als ich frage, ob das minuscule genug sei, ernte ich einen ungnädigen Blick und werde zum Weiterschnippeln aufgefordert. Schließlich essen wir im hoch ummauerten Garten und sehen auf die Sterne, und später tanzen wir zu irgend welcher kitschigen Musik. Von hinter der Mauer bellen die Hunde. Wir kehren gemeinsam zurück. Es geht doch.

3

Ein deutscher Geographie-Professor regelt die letzten Details meiner Immatrikulation. Daß ich mich hier aus freien Stücken beworben habe und nicht Teil eines Austauschprogramms bin, hält er für so absurd, daß er es gar nicht gelten läßt.

„Kreuzen Sie hier und hier an", sagt er routiniert und hält mir immer neue Formulare vor, „sonst müssen Sie ja Prüfungen mitmachen und sowas alles." Die Geisteswissenschaften sind auf dem Campus im Y-Block untergebracht, informiert er mich. „Nach der Frage, die wir immer stellen: Why?"

Die Frage nach dem Warum stelle ich mir auch. Was dachte ich, was ich hier finden würde? Wiesbaden in der Wüste? Was soll ich hier tun, was mache ich hier? Ich suche wieder nach Rat in dem Gedicht. Es fordert mich auf zu warten, nicht zu handeln. Der Zustand der Unruhe und Erwartung wird, so scheint es zunächst, durch Andere beendet werden. Dem „Warte" wird durch die langen Silben in „diese tage" Nachdruck verliehen. Sie gebieten dem raschen, drängenden „Dass dein puls geschwinder pocht" mit gemessener Geste Einhalt. Am Ende wird entweder Leiden oder Glück stehen. Nichts Gutes verspricht, daß „leiden" und „entscheiden" aneinander anklingen. „Ach du weisst dass du nicht stirbst | Ruft es wiederum: entsage!" Die beiden Verse sprechen von der Möglichkeit eines Scheiterns. Wenn die Erfüllung nicht eintrete, bedeute das nicht den Tod. Die erste „Entsagung" hatte ich selbst verantwortet: Ich hatte mich aus allen Bindungen gerissen.

Etwas belämmert gehe ich aus der dunklen Sporthalle, in der die Einschreibung vorgenommen wird, in die helle Bibliothek, der gegenüber gerade ein Erweiterungsbau gebaut wird. „The library is a cornerstone of our future", höre ich. Die Bestände sind wenig spannend. Ich blättere hastig in einigen alten Heften der Zeitschrift *West Africa*, die gestapelt liegen. Zur Internetbenutzung muß man sich anmelden, aber die Liste für heute ist schon voll.

Um Trost zu erhalten, wende ich mich einer Kopie der Klarinettenstücke von Alban Berg zu, die ich im Gepäck habe. Warum ich dachte, daß mir Berg in Windhuk nützen würde, weiß ich nicht. Allein das Lesen der Noten, die Erinnerung an das Klavierspielen und die Vorstellung des Klarinettenklangs beruhigen mich. Ich nehme die Noten mit und suche nach einem Musikraum. Es gibt eine Musikabteilung, irgendwo wird sie schon sein. Zufällig treffe ich Cafu, der mir den Weg beschreibt, und als ich vor dem entsprechenden Zimmer stehe, höre ich, wie drinnen eine Band probt. Trotzdem klopfe ich. Musiker haben einander immer was zu sagen. Die Tür geht auf, und ich werde angelächelt.

„Hi, willst du mitjammen?"

„Nein, danke", sage ich, obwohl das gar nicht witzig ist. Mit meinen Noten stehe ich da und entschuldige mich. „Ich wollte wissen, ob ich hier irgendwo proben kann. Aber ich kann ja später nochmal wiederkommen." Damit ich nicht gefragt werde, was ich denn spielen will, drehe ich mich wieder um und gehe weg. Meine mitgebrachte Partitur ist mir peinlich.

Ich kann mit der Freundlichkeit der Leute nicht umgehen. In einer Nacht träume ich von einem Klavierstück, das beschaulich anfängt, sich aber bald zu bedrohlichen Dimensionen steigert. Es ist in vier Systemen notiert. Darin höre ich das Wort „fear". Ich beginne, über die Abreise nachzudenken. Ständig frage ich mich, was schwerer wiegt: der Egoismus, der mich hierher gebracht hatte? Oder diesen Egoismus einzugestehen, abzureisen und ihn dadurch nur noch zu erneuern? „Our only means of survival is revival" – der Aufkleber an meiner Zimmertür, den der vorige Bewohner dort angebracht hat. Wie soll ich ein Revival hinbekommen?

Als ich mich morgens an meinen kleinen Holztisch setze, stehen mir wieder Georges Verse vor Augen. Die vier Verse des Refrains umfassen acht von zwölf Zeilen des Gedichts. Ich bin völlig eingelullt davon. Es verfolgt mich, hat aber selbst das Gepräge des Stillstands, der Abwesenheit, der Unentschiedenheit, die angesichts der gefühlsgeladenen Atmosphäre besonders bedrückend wirkt. Ich gehe in die Kantine, und beschließe, daß es mir besser gehen wird, sobald ich mich mit einem Schokoladen-Croissant belohnt habe. Ich zeige auf die Vitrine. Mir ist das unangenehm. Wissen die ausladenden Damen, daß mein Leben von ihren Croissants abhängt? Sie tun so, als sei ihnen das egal, aber mein Kopf wird hochrot, als ich mit den Fingern erkläre, ich wolle gleich drei. Ein Wille zum Luxus, der Verzweiflung anzeigt. Lächerlich. Ich trage sie wie eine Trophäe in einer Plastiktüte quer über den Campus in mein stilles Zimmer. Zwischen Alban Berg und meinem Stadtplan packe ich sie aus, breite sie aus wie Gaben, die gerade auf dem Altar gewandelt worden sind. Beim ersten Biß stelle ich fest, daß sie mit Schinken oder Wurst oder sowas gefüllt sind. Fettig und scharf statt erlösend süß. Innerhalb von Sekunden entscheide ich mich zur Abreise.

Ich fahre zurück zum Flughafen. Um mich herum warten die Touristen mit ihren Rucksäcken und Brustbeuteln und Fotoapparaten und Zielen und Reisekrankenversicherungen. Ich mache noch ein paar Notizen, die sich an Georges Verse halten.

Eines der Radioprogramme der Lufthansa sendet Bruckners „Romantische", in einer Aufnahme mit Sergiu Celibidache. Während ich zuhöre, erinnere ich mich an die Worte des Vizekanzlers, Professor Peter Katjavivi. Er bezeichnete uns neue Studenten in seiner kämpferischen Begrüßungsansprache als die „happy few", die den Sprung an die Universität geschafft haben, als die Besten der Besten. Seine Stimme wird lauter, fast zum Drill: "You are expected to know better", sagte er. Seinen Anforderungen habe ich nicht genügt. Aber immerhin weiß ich mehr über mich als früher: Ich durfte nicht annehmen, daß Windhuk wie Wiesbaden war, bloß weil die Vorwahlnummern beinah identisch sind und beides mit Wi anfängt. Die nächste Reise würde ich nicht ohne Freunde machen, und nicht ohne Ziel. Immerhin. Es ist keine Heimkehr, sage ich mir, sondern ein neuer Aufbruch.

Celi braucht Tausende von Kilometern für Bruckner, die Symphonie endet irgendwo über Algerien.

In Frankfurt schneit es.

The Causeway
(Singapur)

1

East Coast Parkway, Singapurs Highway vom Flughafen Changi stadteinwärts, ist die sauberste Straße der Welt, deren Randbepflanzung aus katalogschönen Palmen so harmonisch aufgereiht ist wie griechische Säulen. Hinter jeder Kurve vermutet man Honoratioren mit Sektgläsern und einem durchschnittenen Band, das nach der eben erst zuende gegangenen Einweihungsfeier noch niemand von der Fahrbahn genommen hat. Im Rückspiegel sehe ich meine Augen links neben denen des Taxifahrers. Die Autobahn steigt an, als führen wir in die Chefetage. Verkehr fließt hier so leise und ungestört wie der Strom in den Leitungen. Autos gleiten an der Küste entlang und tauchen, wenn sie in die Innenstadt fahren, unter einer ERP-Schranke hindurch, die die Innenstadtmaut vom Konto des Halters abbucht.

Bei der Ankunft schon sehe ich, daß Singapur eine Mischung aus Hong Kong und Berlin-Hellersdorf ist. Das Stadtbild des tropischen Einkaufsparadieses ist nicht nur von Wolkenkratzern, sondern vor allem von gigantischen Wohnblocks geprägt, in denen angeblich die meisten der gut vier Millionen Einwohner leben. Der Taxifahrer doziert: Hauptaugenmerk singapurischer Politik ist es, jedem Bürger Wohnraum zur Verfügung zu stellen. In kürzester Zeit wurden die massiven HDBs hochgezogen. Die Abkürzung steht für die Wohnungsbaubehörde Housing Development Board. Nachdem nun jeder eine Eigentumswohnung besitzt, die er für 99 Jahre gekauft hat, geht es ans Renovieren des Bestehenden. Denn zum einen sind die meisten Plattenbauten mit solcher Nachlässigkeit errichtet worden, daß sie nach wenigen Jahren die ersten Verschleißerscheinungen zeigen, zum anderen besteht der Wunsch von Politik und Bewohnern, Funktionalität und optische Attraktivität zu erhöhen. Upgrading heißt dieser Prozeß im nationalen Diskurs. Was das genau bedeute, frage ich den Taxifahrer. Wir fahren eben an einem besonders alten HDB vorbei, an dem zwei sinnlose Applikationen angebracht sind. Upgrading heiße, ein Stück Scheiße zu nehmen, eine Schüssel darüberzustülpen und dann zu sagen, da sei kein Dreck. „How come my neighbour has upgrading and I don't have", erläutert er die Funktionsweise eines von Statuseifersüchteleien geleiteten Sozialverhaltens. Dieser singapurische Taxifahrer kann ebenso gut Konversation wie ein deutscher Adeliger. Ein Übermaß an ungehaltener Kritik, wie ich es gerade gehört hatte, ist aber wohl bei beiden selten.

„Unter Denkmalschutz steht hier nur Lee Kuan Yew", erklärt er weiter. Dem früheren Ministerpräsidenten verdankt die Inselrepublik ihren beispiellosen wirtschaftlichen Aufschwung. Darunter litten klassische Architekturformen wie die zweistöckigen chinesischen *shophouses*, die nur hier und da restauriert, aber kaum je in der traditionellen Weise genutzt werden, nach der im Erdgeschoß der Laden der Familie untergebracht ist, die im oberen Stockwerk wohnt.

2

Mein Zimmer in dem Condominium-Komplex Gillman Heights hat einen Balkon, der nach innen, auf das Wohnzimmer geht. Dieses hat einen Balkon, der auf die Skyline sieht. Durch den Wohnraum weht ein Wind wie über ein Deck, zur hinteren Seitentür hinaus auf den offenen Vorplatz mit der Waschmaschine und dem Müllschlucker. Von hier aus gelangt man in das Zimmer des Hausmädchens. Ein solcher Raum gehört zum Standard in jedem Appartement. Im Westen lernen die Kinder Schimpfwörter aus dem Fernsehen, in Singapur vom Umgang der Eltern mit der *maid*.

Der Bug meines Schiffes im 15. Stock ist der große Balkon, die Küche mit ihrer nach vorn sehenden Arbeitsfläche ist das Führerhaus, die drei Zimmer sind die Kajüten. Und ich fahre, denke ich, als ich auf dem Balkon stehe, auf einer Proszeniumsloge über dem Highway. Die Betonbrüstung ist wie die Horizontlinie des Meeres, darüber erheben sich die Wolkenkratzer. Ein gigantisches fernes Marlboro-Plakat, dessen Unterseite auf der Brüstung zu ruhen scheint, bewegt sich darauf wie ein Schiff.

Noch sind die beiden anderen Zimmer nicht belegt. Das Semester beginnt erst in einigen Tagen. An meinem ersten Abend, wieder in einer neuen Stadt, wieder auf einem neuen Kontinent, starre ich vor mich hin, mein Blick wirft seinen Anker aus, straff, starr. Wenn ich mich zu schnell umsehe, gerate ich in Panik, werde auf die hohe See hinausgetrieben. Ich schlage das Buch meines Freundes Claus auf: *Untergetaucht unter Freunden.* Darin heißt es: „In solchen zeiten der ‚clausur‘ ist es wichtig, dass man sich fest in der hand hält und mit äusserster disziplin zu arbeit und innerer bewegung zwingt, sonst wird man schlaff und unlustig und überreizt. Zeiten des überdrusses werden nicht ausbleiben. Dies nur zur warnung und mahnung, beizeiten vorsorge zu treffen – das heisst deine innere souveränität zu erhalten!" Ich bin nicht untergetaucht im besetzten Amsterdam während des Zweiten Weltkriegs, umgeben von künstlerisch begabten, politisch oder rassisch verfolgten Freunden, sondern abgetaucht in eine kosmopolitische Weltstadt, erst einmal allein. Ich nehme mir vor, jeden Tag eine Seite des Tagebuchs zu füllen. Produzieren, sich absichern, den Weg bahnen.

Am nächsten Tag fahre ich in die Innenstadt, Downtown. Das Bankenviertel sieht nicht aus wie Manhattan, Shenton Way nicht wie Wall Street, auch wenn es in den Prospekten des Tourism Board so steht. Auch zur Hauptverkehrszeit ist es hier nur wenig belebt. Vitalität gleitet an den Glasfassaden ab und versickert in einen Gully. Zwischen den Polituren gehen frisch Gebügelte einer besseren Gegenwart entgegen, die sie in einem der Türme finden werden. Die Jahreszeiten unterscheiden sich nicht. In Singapur ist immer Zukunft.

Gelbe Blätter werden von einem großen, warmen Wind über die vierspurige Kreuzung zwischen die Zeichen „Toshiba" und „DBS Autolobby" geweht. Die wartenden Autos scheinen für einen Moment ihre Ungeduld zu verlieren und die fahrenden sich unter den fliegenden Blättern hindurchzuducken. Bei der Fahrt zurück abends an Singapurs Hafen entlang sehe ich die rechts liegende Skyline nach links gespiegelt in die Lichtertürme der Docks.

Nicole aus New York, die ich bald kennenlerne, fragt gleich bei einem unserer ersten Treffen, wie um nachzuhaken: „So, what is your goal in life?" Sie scheint dicht unter einer Wasseroberfläche zu schwimmen, aber regelmäßig auftauchen zu müssen, um Luft zu schnappen. Ihre Augen scheinen nur sehr lose mit dem Rest des Körpers verbunden zu sein, denn sie zappeln ständig in alle Richtungen, als ich mich um eine sinnvolle Antwort bemühe. Jeder Moment ist eine Cocktail-Party. Man darf nichts und niemanden verpassen. Ich habe keine Antwort auf ihr forsches Fragen.

Sylvie, eine französische Kommilitonin, ist schon seit einigen Monaten hier. Sie wohnt drei Stockwerke tiefer. In ihrer Küche hängt ein Wandkalender, in dem ich den Eintrag „Singapore appreciation day" finde. „Wir haben gemerkt, daß wir es eigentlich alle nicht mögen, aber mögen sollten. Also sind wir eines Tages losgegangen und haben den Touristenkram gemacht. Die Highlights. Aber nach zwei Stunden war es uns langweilig und wir sind wieder nach Hause gegangen."

Was gibt es denn zu sehen? Sie erzählt es mir, und dann, im Lauf der Wochen, probiere ich die Dinge aus. Die Night Safari zum Beispiel, den Nachtzoo. Mit einer kleinen Bahn fährt man zunächst über das Gelände und „erspäht zufällig" wilde Tiere, die unter Flutlichtern kauern. Dann fordert eine aufgeregte Stimme dazu auf, auf eigene Faust den Dschungel zu durchstreifen. Alle zwanzig Meter Sicherheitsleute, die den Besucher auf den ausgeschilderten Wegen halten. Die Tiere bewegen sich nicht. Meine frisch polierten schwarzen Schuhe haben in dem „unberührten Regenwald" keinen Fleck bekommen. Die Nachtsafari ist so etwas wie Orchard Road für Tiere.

Und Snow City, ein Gebirge im Gebäude, auf dem man Ski-fahren kann. „Mount Lee Kuan Yew", sagt Sylvie spöttisch. Dann niest sie. „Zuviel air-con?" – „Nein," sagt sie, „ich bin allergisch gegen Singapur." Auch Sauberkeit kann wie ein Bazillus wirken.

3

Daß ich trotzdem in einer außergewöhnlichen Stadt lebe, mer-ke ich, wenn ich sie in den Werbespots der modernsten und größten Firmen sehe. Mein täglicher Weg zum Einkaufen wird in diesen Spots mit einem Soundtrack ausgestattet. Mangels al-ternativer Angebote bin ich mit Sylvie, Nicole und meinem aus München eingetroffenen Mitbewohner Andi schon wieder ins Kino gegangen. Es ist Sonntag, und der Veranstaltungskalender der *Sunday Times* ist leer. Die Langeweile ist so zur Gewohnheit geworden, daß ich nicht mehr das Gefühl habe, etwas zu verpas-sen, wenn um mich herum nichts geschieht. Ich verpasse nichts.

Der Straßenname Quality Road drückt viel aus. Singapur sind Softdrinks und indifferente Gesichter. Ich sehe sie in der U-Bahn und frage mich, welcher der täglichen Pendler wohl den Moment bewußt erlebt hat, wenn die MRT zwischen den Stationen Redhill und Tiong Bahru unter die Erde fährt? Wer hat sich vorgestellt, wie dieser Ort von außen aussieht? Es wäre Übereifer, so aus sich herausgehen zu wollen, wie es schon Über-eifer ist, sich an irgend etwas zu erinnern, oder auch nur jeden Abend zum gleichen Bus zu fahren, im Flyover in übereinander herfahrenden Pendlerströmen. Wenn wir durchs Dunkel fahren, sehe ich nicht lange in ihre Gesichter, sondern bald herunter auf mein Buch.

Harmonische Abwechslung bietet das im Botanischen Garten stattfindende Konzert „Symphony in the Park". In Zusammenarbeit mit Schulen und Bands wird es von der Radiostation Symphony 92 FM veranstaltet. Die achtjährigen Pianisten gehören schon zu den alten Hasen im schwer umkämpften Markt der Nachwuchskünstler. Freizeitbands zwingen sich zu freien Rhythmen. Musical-Stars begrüßen altgediente Staatssekretäre. Die Konzertmuschel ist umgeben von einem Bild vollkommenen Friedens. Einige hundert Menschen aller „Rassen" (der allgegenwärtige Begriff irritiert mich irgendwann nicht mehr) und Altersstufen picknicken auf dem Rasen. Hunde wedeln zwischen jungen Familien, strahlende Sonne erwärmt australische Weine. Die Harmonie ist auf beiden Seiten der Mikrophone gleich stark ausgeprägt. Auf unserer Decke schälen wir Drachenfrüchte. Sie haben eine pinke Haut, so grell wie sie kein DKNY-Designer entwerfen könnte, und grüne lasche Fortsätze, nutzlos wie eine Krawatte. Die Idylle gelingt.

Dann gehe ich mit Andi ins Paulaner Bräuhaus am Millennia Walk. Es ist steril und hochglänzend wie die Hotels und Geschäfte darum herum. Das halbe Hefe kostet Unsummen. Wir unterhalten uns über Gentechnik; Andi promoviert in Chemie. Wir sind uns nicht sicher, ob man mehr Angst davor haben muß, daß die Forscher ihre Ziele erreichen oder daß sie sie verfehlen. Im Falle eines Erfolgs, einer Kontrolle über das Erbgut und einer gezielten Züchtung bestimmter Eigenschaften, bestünde die furchtbare Aussicht, daß alles gut wird, daß alles so wird wie Singapur. Die Musik zum Film *Buena Vista Social Club* ist während dessen melancholische Botschaft aus der Heimat. Andi summt mit. Gestern hat er das Abstract seiner Dissertation abgegeben. Er ist im Moment der einzige, der Singapur etwas abgewinnen kann: „Wir leben in einer echt geilen Zeit. Heute. Gestern war scheiße, aber heute ist echt geil."

4

Das zweite Konzil von Lyon legte Mitte des 13. Jahrhunderts den Glauben an ein irdisches Paradies zu den Akten. Alexandra Park widerlegt dieses Verdikt. York Road und Cornwall Road, die Hügel und Wiesen bestehen tief im Innern einer Welt, deren Glaube an Perfektion Erschütterungen nicht mehr standhält. Wie auf der Ebsdorfer Weltkarte von 1234 von Wellen und Wogen umgeben der Garten Eden dargestellt ist, zeigt die Singapore Street Directory einen entlegenen Bezirk in der Mitte der Insel, den auf einer nach wissenschaftlichen Methoden erarbeiteten Karte zu finden man sich nicht träumte, wenn man einmal in dieser Gegend spazieren gegangen ist.

Unveränderlich wie die Temperaturen wirkt die Ruhe, die nur vom Kläffen eines wachsamen Hundes gestört wird, wenn ich zu nah an einem Zaun vorbeigehe. Ich treffe keine Menschen, sehe nur einen Gärtner mit Strohhut und Laubblasmaschine. Der sich schlängelnden Straße bedient sich geräuschlos ein Mercedes. Es gibt keine Bürgersteige, denn jeder wird gefahren. Aber auch wer zu Fuß und gegen die Fahrtrichtung unterwegs ist, läuft nicht Gefahr, überfahren zu werden, weil die Straßen unter den züchtig ausgreifenden Ästen so breit sind, daß eine eilige Limousine vom Staunenden unbehelligt bleibt. Philippinische Hausmädchen mit Einkaufstüten kommen mir entgegen. Sie sehen zu Boden, als wir einander am nahsten sind. Zweistöckige, weiße Häuser stehen in großem Abstand voneinander, auf jeder Erhebung eines. Auf jedes weist ein weißes Schild hin, das Straßenname und Hausnummer angibt. Von der Straße führt ein einspuriger Weg ab, der zur Auffahrt wird. Unter dem Altan parkt ein Jaguar.

Verschämt sehe ich zu Boden, als ich an einem Pool vorbeigehe, der sehr nah einer lichten Hecke angelegt ist. Ich komme mir under-dressed vor und entscheide, beim nächsten Mal ein Hemd von Kenneth Cole zu tragen. Die Damen sehen und ignorieren mich. Eine könnte in den Siebzigern einen Oscar bekommen haben, denke ich. Sie trägt eine Brille mit dicken Rändern und amüsiert sich.

Keiner der lauten Hunde ist so gut trainiert wie die Söhne des Hauses. Auch sie, die zweite Generation, werden keine Namensschilder an Türklingel oder Briefkasten anbringen lassen. Alle Gebäude sehen gleich aus, als seien sie geklont, nicht erschaffen worden nach einem kolonialen, unzeitigen Vorbild. Die Dächer sind schindelgedeckt. An einem der größeren, Eton Hall, steht der Leitsatz „Manner maketh man". Ich ziehe mich diskret zurück.

5

Ich frage Tim, einen Geographie-Professor an der NUS, der National University of Singapore, ob er einmal beobachtet habe, daß das Eis in der Cola, die man mit in die Vorlesung nimmt, auch an deren Ende noch nicht geschmolzen sei.

„Nein", sagt er ruhig, das sei ihm noch nicht aufgefallen. „Ich habe allerdings einmal in meinem vorher heißen Kaffee nach einer Unterrichtsstunde Eiswürfel gefunden."

Klimaanlagen sind nach den Worten Lee Kuan Yews die wichtigste Erfindung des 20. Jahrhunderts, und sie machen ein Drittel des singapurischen Energieverbrauchs aus. Daher betitelte der Journalist Cherian George seine spannende Einführung in die kontrollierte singapurische Gesellschaft *The Air-conditioned Nation*. Für Cherian George sind Klimaanlagen das beste Beispiel für die Regelungswut und Künstlichkeit des hiesigen Lebens. In der Tat fällt dem Fußgänger auf, daß der Fortschritt vor allem heiße Luft ist: Sie wird aus den Gebäuden nach draußen geleitet und erhöht damit den Bedarf an Klimaregelung weiter. Diese erfolgt nach dem Motto: „Darf es etwas weniger sein?" 18 °C gelten als Obergrenze. Studenten nehmen Pullover in die Hörsäle mit.

Einige Zeit muß ich im Krankenhaus zubringen. Der angenehmste Tag ist der, an dem die Klimaanlage ausfällt. Es ist der einzige, an dem ich unter meinen Decken nicht friere. Angeblich ertrinken in der Wüste mehr Menschen als dort verdursten. Ich glaube, in Singapur erfriert man eher, als daß man an der Hitze zugrunde geht.

Kim, meine Krankenschwester, hat mir Bücher über den Nahen Osten ausgeliehen und über das mittelalterliche China. Sie war einige Zeit in Kanada, ist umgänglich und weltoffen. Ich spreche sie auf asiatische Werte an. Könne man eigentlich davon sprechen? Sie überlegt kurz und bejaht die Frage. Ich hieve mich aus meinen Kissen, sie nimmt mir Blut ab. Dann möchte ich wissen, was denn Teil dieser Werte sei.

„Wir glauben an die Todesstrafe. Wir sind ordnungsliebende Menschen. Die Ausländer wollen, daß wir deutlicher unsere Meinung sagen. Aber was ist, wenn wir nicht protestieren wollen?"

Sie begründet das mit dem allgegenwärtigen Kampf eines kleinen und von unfreundlichen Nationen umgebenen Landes ums politische Überleben. Wohlstand und Sicherheit wurden in einer einzigen Generation erarbeitet. Diese Leistung ist für den Durchreisenden nicht deutlich.

Aber Kim sagt: „Wir wissen noch, was es heißt, barfuß an einem Regentag den langen Weg zur Schule zu laufen."

In meinen Politik-Kursen lerne ich die Grundlagen: Singapur braucht die Illusion der ständigen und unmittelbaren militärischen Bedrohung. Diese Doktrin soll die fragile Gesellschaft auf das gemeinsame Ziel der Selbsterhaltung einschwören. Fortschritt wird durch ständige Erinnerung an die traumatische Vergangenheit des Ausscheidens aus dem Staatenverband Malaysia sowie der Konfrontation mit Indonesien kurz nach der Unabhängigkeit im Jahre 1965 gewährleistet. Ein Ausnahmezustand wird herbeigeredet, der natürlich hauptsächlich für die Chinesen gefährlich ist und dadurch weder Gemeinschaft stiftet noch den Malaien denselben Ansporn bietet, sich für die Nation einzusetzen. Da aber der Friede und die Sicherheit vor militärischer Auseinandersetzung recht offensichtlich sind, entsteht die Herausforderung, ein

Gleichgewicht zu schaffen: Die Bevölkerung muß sich sicher genug fühlen, um das angenehme Leben zu würdigen und im Land zu bleiben, aber unsicher genug, um weiter motiviert zu sein, sich für dieses Land einzusetzen.

Die bürgerlichen Freiheiten sind daher eingeschränkt. Kritik an der herrschenden Ideologie ist so lange erwünscht, wie sie bereit ist, sich im Rahmen des Systems konstruktiv einzubringen. Politisches Engagement wird jedoch grundsätzlich entmutigt. Politik sei Sache der Politiker, die den nötigen Fachverstand und die Übersicht besäßen, sagt man. Überspitzt läßt sich sagen: Alle Politiker sitzen im Parlament. Fähige einzelne aus anderen Berufsfeldern werden, wenn sie gebraucht werden, an Partei und Staat gebunden. Dies geschieht nicht zuletzt mit finanziellen Mitteln: Die Gehälter singapurischer Beamter und Politiker gehören zu den höchsten der Welt. Der Ministerpräsident hier verdient ein Vielfaches des US-Präsidenten. Diese Maßnahme hat allerdings einen positiven Nebeneffekt: Sie reduziert Korruption auf ein vorbildlich niedriges Niveau. „O.b. markers", offiziell für Tabu erklärte Themen oder Maßnahmen, stehen weder zur Diskussion noch gar zur Disposition.

Ein Gewirr aus Regelungen und Zuständigkeiten bringt Maßgaben und Anleitungen hervor, die, ebenso wie die Art, wie sie zustande gekommen sind, manchmal die Grenze zur Albernheit überschreiten, etwa wenn ein Schild dazu mahnt, sich bei Regen unter das Vordach zu bewegen. Beim Fußballspiel Singapur gegen Kuwait trägt ein Austauschstudent stolz eine körpergroße rot-weiße Flagge. Er hat sie sich um die Schultern gebunden, aber sie berührt den Boden. Er wird von einem Polizisten angehalten und rüde ermahnt, sie sich doch bitte ordentlich umzuhängen, sodaß niemand drauftreten und stolpern könnte.

Professor Koh, der ein Seminar über asiatische Integration anbietet, wehrt mich ab mit dem Hinweis, er habe keine Sprechstunde und dürfe daher gerade nicht mit mir sprechen. Er fügt seufzend hinzu: „Diese Regeln... Nicht daß wir sie mögen, aber wir müssen uns daran halten." Sein Kollege, Professor Eng, sprach dagegen in einer Vorlesung von „Demokratie und solchem Quatsch".

Gehört das Kaugummieinfuhrverbot der Republik noch in die Rubrik Kuriosa, macht der Hinweis „Approved for distribution" auf einer Zeitschrift deutlich, daß nicht alles liberal ist, was glänzt. Besonders kraß wird deutlich, daß wirtschaftliche und politische Freiheit nicht zwangsläufig miteinander zusammenhängen, an der Zeitschrift *men's folio*. Das Mode- und Lifestylemagazin ist randvoll mit Anzeigen von Armani, Boss und anderen Firmen derselben Preislage und lobt auf der anderen Seite im redaktionellen Teil in guter Ostblockmanier Weisheit und Weitsicht unserer Führer.

Bei Starbucks im Capitol Tower bin ich mit Herrn Chan, einem aufstrebenden chinesischen Geschäftsmann verabredet. Er wurde mir als typisch konservativer Singapurer angekündigt. So balanciere ich, als das Gespräch, bei Nennung meines Studienfachs unvermeidlich, auf die politische Lage kommt. Er blamiert mich freundlich, als er sagt, er könne als Unternehmer nie die Regierungspartei PAP wählen, eine Partei alter Herren, die noch im Angesicht einer Rezession die welthöchsten Gehälter einstrichen.

Es gibt Andersdenkende, das drückt sich auch in den Wahlergebnissen aus. Oppositionsparteien sind formell zugelassen und stellen zwei der etwa 80 Parlamentsabgeordneten. Im Wahlkampf werden sie aber als Gefahr für die Nation diskreditiert, psychisch angegriffen und systematisch Bankrott gemacht. Im Gefängnis in der Onreat Road, nahe dem alten chinesischen Friedhof, sitzen Kritiker ein, die umerzogen und dann verbeamtet werden, um sie unter Kontrolle zu haben. Das nach britischem Vorbild gestaltete Mehrheitswahlrecht verzerrt die Kräfteverhältnisse der Parteien. Nicht nur ein Vierzigstel, sondern ein Drittel der Wähler stimmt nicht für die PAP. Warum dieser Anteil so hoch sei, erklärt Chiam See Tong, einer jener zwei Oppositionellen, damit, daß eine große Anzahl Menschen schlicht und einfach unter dem System litten, sei es unter den martialischen Strafen, sei es unter der endlosen Propaganda.

Chiam muß sich nach seiner Rede vor Studenten der Universität unbequemen Fragen stellen. Ein Ingenieur wiederholt die Phrasen von den Aufbauleistungen der Regierung, den Erfolgen beim Wohnungsbau und der Bekämpfung der Arbeitslosigkeit und läßt sich durch diese Darstellung zu dem einfachen Satz verleiten:

„So what's your plan?"

Chiam antwortet mit leiser Stimme, spricht langsam und bescheiden über „einige harte Schläge", die er einstecken mußte. Vor allem wehrt er sich gegen den Eindruck, die Kampagnen zum „nation-building", zum Aufbau eines alle verbindenden Nationalgefühls, hätten Früchte getragen oder befänden sich überhaupt auf dem richtigen Weg. Weder das indoktrinierende Erziehungssystem noch der mehrjährige Wehrdienst brächten die gewünschten Ergebnisse.

„Die Soldaten würden doch nicht ihr Land verteidigen, höchstens ihr HDB!"

Was hält eine Nation zusammen, die kaum älter ist als meine Kommilitonen? Professor Koh macht sich keine Illusionen: „Singlisch, jenes kompostierte Englisch, das wir sprechen, und die alle begeisternde Vielfalt unserer Küche." Er seufzt wieder.

Das morgendliche Singen der Nationalhymne in der Schule kann die Rassen ebenfalls nicht einen. Größtes Hindernis: Den malaiischen Text verstehen die meisten nicht, und nach der Schulzeit haben sie auch die bekannten Wörter bald vergessen. Denn kein Schüler lernt die Sprache einer Rasse, der er nicht selbst angehört. Zur Verständigung untereinander lernen sie allein Englisch. Wenn jemand, wie meine indische Freundin Komal, als Zweitsprache Mandarin spricht, benutzt sie es allenfalls in der Kantine, um ihre Bestellung eindeutig zu formulieren. Viele der Jüngeren wollen die Republik verlassen. Die kosmopolitische Ideologie des Staates stachelt dieses Bedürfnis weiter an.

Komal stellte sich mir als eine Reisende vor. Ich trug ein T-Shirt mit deutscher Aufschrift. Für Komal ist das exotisch, sie nimmt, wie sie mir bei dem Kaffee sagt, den wir gleich bei unserem ersten Treffen trinken gehen, allen Mut zusammen und spricht mich an.

Auch sie sei eine Reisende, sagt sie. In den letzten zwanzig Jahren habe sie Singapur bereist. Da sie aber keine Touristin sei, kenne sie die Sehenswürdigkeiten nicht, nach denen sie ich sie frage. Sie könne auch keine Hotels empfehlen, denn sie habe sich das Ideal der Reisenden, möglichst nah bei den Einheimischen zu sein, zueigen gemacht und lebe in einem „richtigen Haus".

6

„Wie viele Kurse belegst du? Drei? Du reist gern, oder?" Komal hat gleich gesehen, daß es nicht Faulheit ist, die mich davon abhält, mehr als das akademische Minimum zu erfüllen. Singapur ist so weit vom Äquator entfernt wie Wiesbaden von Hanau. Das wichtigste Gesprächsthema unter den internationalen Studenten ist daher die Frage, wohin die nächste Reise geht. Wir leben im Reiseführer: Tropische Inseln mit weißen Stränden, von denen aus man, unter Palmen liegend, den orangefarbenen Sonnenuntergang genießen kann, sind nur wenige Stunden entfernt. Singapurs Freizeitinsel Sentosa ist etwas außen vor, wenn man weiß, daß der Sand und die Palmen aus Indonesien und Malaysia importiert wurden. Außerdem kann man schon nach den ersten Schritten ins Wasser seine Füße nicht mehr sehen. Einer der wichtigsten Häfen der Welt liegt in Sichtweite.

David und ich laufen über den Causeway, die tausend Meter lange Brücke nach der malaysischen Grenzstadt Johor Bahru, Singapurs Hinterausgang. Die Männer auf den Heckladern, die morgens auf Singapurs Baustellen fahren, reisen auf diesem Weg ein. Viele, die ihr Glück in der Löwenstadt gesucht haben, kehren aber aus Frust oder Langeweile wieder zurück. Besonders die Regelungswut stößt vielen auf. Auch er sei wieder zurückgegangen, sagt einer in bestem Singlisch, „because Singapore all cannot."

Was sind schon solche Übergänge? Man gewöhnt sich daran. Mit bestimmter Miene gehen wir durch das Immigrations-

Gebäude auf den Tisch mit den weißen Zetteln zu, und bis einer von uns das Wort Einreiseformularausfüllgeschwindigkeitswettbewerb gesagt hat, haben wir ihn schon ausgetragen.

In dem langen Hauptgebäude von Johors Busbahnhof Larkin Terminal sind einige dutzend Stände von Busgesellschaften untergebracht, deren Agenten ankommende Westler sofort angehen. Nie ist die Atmosphäre aber drängelnd, der Ton bleibt immer freundlich, die genannten Preise stimmen und dem Unsicheren wird der richtige Weg gewiesen, auch zur Konkurrenz. Daneben sind die Stände der Snackverkäufer, Geldwechsler, die Zeitschriftenstapel und Garküchen, isotonischen Getränke und Fast-food-Filialen.

Es ist dunkel, wir kaufen unsere Tickets, essen noch einen Donut. Aus dem Radio im Bus singt eine schwermütige, streicherunterstützte Stimme. Vor dem Fenster gestikulieren zwei verschleierte Frauen, eine trägt ein Kind auf dem Arm. Es ist mir eine so durchdrungene, verstandene Atmosphäre, Vertrautheit, die mich beinah gewaltsam angeht.

Noch vor der Morgendämmerung kommen wir an, wir steigen aus dem Bus. Kuala Besut, gegenüber den Perhentian Inseln, schläft noch, mit Ausnahme einiger Taxifahrer natürlich. Sie dienen sich unserer Freiheit an, die wir im nächsten Zimmer beim Auspacken vielleicht schon nicht mehr finden werden. Buset heißt Bastard, und mit dem Humor des Übermüdeten taufen wir die Hafenstadt Bastardville. Nach drei Stunden legt das Boot ab. Bei langsamer Fahrt sehen wir schon die Korallen.

Die Wolken belassen den blauen Himmel heil.

Ewig, ewig, singt es nach aus Mahlers *Lied von der Erde*.

Ein Burmese am Strand auf Pulau Perhentian Besar lädt uns auf ein Bier ein. Der schmächtige Mann, der mir gegenüber hinter einer flackernden Kerze sitzt, sagt in dem unvermeidlichen Gespräch über die Freiheit in Ost und West, das sich bald entspinnt, die früheren Diktatoren Marcos und Suharto seien gute Männer gewesen. Marcos habe bloß die Landwirtschaft vernachlässigt und zuviel seiner Frau überlassen. Er bietet mir noch ein Bier an. Seine Mutter sei Vietnamesin, er selbst spreche fünf Sprachen. Zuletzt habe er als Restaurator in Singapur gearbeitet. Seine Familie sei „very dead" dank des früheren burmesischen Herrschers Ne Win. Über Singapurer lacht er, sie bräuchten nach ihrem üblichen viertägigen Urlaub vier Tage in ärztlicher Behandlung, so sehr hetzten sie sich auf Touren ab, die sie innerhalb weniger Tage durch „ganz Europa oder ganz Amerika" führten. Er ist dünn, spricht sehr ruhig und viel.

Am Horizont reihen sich die Lichter der Fischerhütten, zwischen Meer und Himmel, die beide schwarz sind in der Nacht, wie eine Karawane. Aber es ist das Meer, das weiterzieht, während die Hütten mit großer Anstrengung ihren Standort behaupten. Eine sieht aus wie ein Konzertflügel: Die Plattform als Tastatur, die eigentliche Hütte als Deckel. Zwischen Hühnern und streunenden Hunden genießen wir den Blick auf Palmenreihen, trinken viel und lesen. Sträucher voller Glühwürmchen sind auf die Erde geholte Sternbilder. Das Lagerfeuer wärmt, obwohl es noch warm ist. Wir singen, und weil keiner Lieder kennt, singen wir unsere Nationalhymnen.

David kann ohne Brille oder Kontaktlinsen nichts sehen. Beim Schwimmen wird ihm das zum Problem. Manchmal dachte ich, es seien fliegende Fische, aber es war er, der wieder das Blau des Himmels und das Blau des Wassers nicht unterscheiden konnte und nach dem Meer suchte. Monatelang hatte ich kaum mit ihm zu tun gehabt. In den letzten Wochen habe ich ihn dann jeden Tag gesehen. Hier sind wir. Ich klettere ihm über Felsen nach und beobachte ihn dann von meiner Veranda aus, wie er auf einem Felsen sitzt und aufs Meer sieht und mir den Rücken zukehrt. Sein hautenges Taucherhemd und die zur Seite abstehenden Haare.

Als am nächsten Tag im Museum von Kota Bharu Brückeneröffnungen, Bataillonsphotos, Straßenszenen, Staatsporträts und Kriegserklärungen an mir vorbeiziehen, sehe ich nur dies verschwommene Bild eines auf dem Felsen Sitzenden.

Gilde und Kelch
(Myanmar)

1

In der Kantine beim politikwissenschaftlichen Institut in Singapur sitzt ein junger Mann mit einem Québec-T-Shirt. Ich frage ihn, ob er Kanadier sei.

„Aus British Columbia", sagt er. „Mark. Ich studiere Politik."

Wir unterhalten uns kurz, dann fragt er (es ist Februar), ob ich Reisepläne für den „Sommer" habe. Der Begriff macht nur kalendarisch Sinn, klimatisch natürlich nicht.

„We've got to travel together."

Ich stimme zu, denn in der Tat muß man reisen. Einmal noch treffen wir uns (seiner Meinung nach zweimal, aber beim anderen Mal hätte ich schon nicht mehr viel mitbekommen), und er fragt, ob ich gern in Museen gehe. Als Europäer geht man immer ins Museum, man reist überall in die Vergangenheit. Wir sehen auf die Landkarte, entscheiden, über Bangkok nach Myanmar fahren zu wollen.

Anfang August breche ich aus meinem Apartment in Gillman Heights auf. Mark will mich in Bangkok treffen. Vor dem Aufzug liegt mein Rucksack.

Die Unentschlossenen raten mir zu.

Verlegene Zeugen sind die Unbewegten mit ihrem halbseidenen Hierbleiben.

Ein Blick zurück auf das Poster vom Sonnenuntergang, den Wandkalender der Armee. Der Griff an die Hosentasche, in der sonst der Hausschlüssel war. Mit dem Stadtbus fahre ich zum Bahnhof; tv mobile, der Fernsehkanal der Busgesellschaft SBS, hat sich auf MTV aufgeschaltet und sendet „I just want you to know who I am" und „We are the champions". Freiheit besteht nicht nur darin, tun zu können, was man will, sondern auch darin, nicht verstehen zu müssen, was man tut. Bewegung kann sich selbst genügen. Diese Tour soll meine Feuerprobe werden.

2

Ein Relikt aus der Zeit der gemeinsamen Verwaltung von Singapur und Malaysia ist, daß Singapurs Bahnhof in Tanjong Pagar noch immer von der malaysischen Eisenbahngesellschaft KTM betrieben wird. Alle Schilder zeigen erst den malaiischen, dann den englischen Begriff. Und die kleine Kantine hat schon mehr mit den gereihten Garküchen auf Kuala Lumpurs Jalan Sultan gemein als mit einem singapurischen Hawker Centre. Zoll, Grenzpolizei und Quarantänestation der malaysischen föderalen Regierung befinden sich in einer Enklave, umgeben von Downtown Singapur. Der malaysische Grenzbeamte händigt mir bereits hier, auf dem Weg zum Zug, ein Einreiseformular aus. Da er meinen Paß nicht verlangt, nehme ich an, erst nach dem tatsächlichen Überqueren des Causeway über die Straße von Johore den Einreisestempel zu bekommen. Dort aber fordert mich niemand zum Aussteigen auf, sodaß ich im Zug nach Butterworth sitzenbleibe und ohne Stempel einreise.

Ein lautstarker alter Chinese auf der anderen Seite des Mittelganges verkündet, daß er sich seit 76 Jahren „mentally alert and physically fit" halte. Er zählt seiner manchmal schüchtern nachfragenden Frau Ländernamen und Währungen auf, bevor er sich brüstet, jede Nacht bis 2 Uhr zu lesen, manchmal zwei Bücher pro Abend. Danach schreibe er bis zu zehn Gedichte. Er gibt meiner Nachbarin eines zu lesen, einen Notizblockzettel mit chinesischen Zeichen, die sie, ebenfalls Chinesin, allerdings nicht entziffern kann. Er reicht ihn an seine Frau weiter, die mechanisch nickt. Er posaunt: Meiner Frau gefällt es! Wahrheit sei wichtiger als Reichtum, aber er habe sich hochgearbeitet und sei nicht arm. Das Gehirn wiege sechs bis acht Pfund. Wenn es acht Pfund wiege, sei man genial.

Glückwunsch! Französisch sei die schnellste Sprache, gefolgt von Japanisch und Deutsch. Die Japaner bauten den schnellsten Zug. Ich müsse 5000 Bücher lesen, und dann nochmal 5000, dann werde ich ein berühmter Sinologe werden, wie viele Deutsche vor mir.

Auf der Fähre von Butterworth nach Georgetown sehe ich ihn wieder, am Bug stehend. Ich bleibe auf einer der hinteren Bänke. Im Halbdunkel vor geschlossenem Bäckereistand und dem geduldigen Cola-Automaten, vor der näherrückenden Skyline (Kolonialgebäude und Malls) entschieden gestikulierend, steht er vor seiner sitzenden Gattin und zwei anderen Reisenden, und wippt. Mit dicker, großer Brille, sorgfältig gekämmtem, weißem Haar, stämmig, regelmäßig stoßweise, gepreßt lachend. Im Dröhnen der Motoren geht seine Suada für mich unter.

In Padang Besar, der Grenzstation zu Thailand im Norden des Landes, fragt der stutzige, etwas ruppige Beamte nach dem Beweis meines legalen Aufenthalts. Der fehlende Stempel wird zum Problem. Ich gebe die fadenscheinige Erklärung, daß ich eine singapurische Green Card besitze und vielleicht deshalb keinen Einreisestempel bekommen habe. Das eine hat mit dem anderen nichts zu tun, aber auf Vorweisen der Green Card stempelt er mich aus und verhilft meinem Paß zu einer markanten Asymmetrie.

3

In Bangkok, am Bahnhof Hua Lamphong, stürmt Mark auf mich zu. Wir setzen uns ins Taxi zum Hotel, und ich sehe gleich, daß ich mich hier von gewissen Annahmen verabschieden muß, etwa von der Erwartung, daß der Stau, in den wir auf Thanon Rama IV geraten, sich schon irgendwann bewegen wird. Um reglos liegende Autos keuchen Motorräder, emsig und unaufhaltsam, und all die Annahmen verabschieden sich. Wer im Taxi unterwegs ist, so lese ich bald, steigt aus, läuft über die Kreuzung, und steigt auf der anderen Seite in einen anderen Wagen.

Alle vier Ecken einer vierspurigen Kreuzung verbindet eine Fußgängerüberführung. Um Verkehr aus dem Stau zu holen, wurde eine zweispurige Ausweichstraße über den Steg gelegt. Da auch sie keine dauerhafte Entlastung bringt, entschließt sich die Stadtverwaltung zu einer gigantischen Stadtautobahn, die über alles andere gezogen wird. Über ihren Lärmschutz ragt manchmal die Fahne eines Regierungsgebäudes oder die Aussichtsplattform eines der hohen Hotels. Wir fahren im Blau des Himmels, das man von dort unten sicher kaum sieht. Werbeplakate sind hier so groß, man kann sie wohl beim Landeanflug aus dem Flugzeugfenster lesen. Zum Beispiel Pirellis „Power is nothing without control". Daß diese Werbung hier steht, spricht für ein Mindestmaß an bürgerlichen Freiheiten.

Auf dem ersten Erkundungsgang geraten wir gleich auf Abwege. Sie führen ins Viertel der Schmiede. Hier ist alles schwarz. Zwischen hageren Häusern, von denen der Putz bröckelt, und in schlundhaften Garagentoren stapeln sich Reifen, Maschinenteile undurchsichtiger Verwendung, Schläuche, Motoren, Gesichter und ein Stand, der Snacks anbietet: geröstete Heuschrecken und drei weitere, gänzlich schwarze Insektenarten.

Meilensteine auf dem Weg in die entwickelte Welt sind vom Dach des Baiyoke Sky Hotels sichtbar, des höchsten Hotels in Thailand. Die Aussichtsplattform dreht sich langsam um das Gebäude, wir lehnen uns gegen eine Reling und beobachten, wie die Stadt in den Sonnenuntergang driftet. Dazu wird Aufzugmusik gespielt. Wir zählen Hubschrauberlandeplätze auf Dächern dort unten, und Rooftop-Partys, und McD-Zeichen. Im Wettbewerb der Langsamkeiten liegt einmal der träge Fluß Chao Phraya, ein andermal Rama IV vorn.

Thanon Khao San und ihre Nachbarstraßen sind das Quartier für die Gilde der Reisenden, vergleichbar den Vierteln für die eine oder andere Handwerkszunft in mittelalterlichen europäischen Städten. Das Viertel ist in einem Stadtmagazin als Sehenswürdigkeit angegeben („incredibly bohemian", heißt es dort), in einer Reihe mit Chinatown, gleichsam als das ethnische Viertel der Internationalen. Interregionale Flüge sind hierher am günstigsten, Tür an Tür und Terrasse an Terrasse befinden sich Reisebüros, billige Unterkünfte, Visums-Agenturen, Internetcafés und ortskundige andere Reisende. Kaum einer von ihnen ist weniger als drei Monate unterwegs. Selten reisen mehr als zwei zusammen. Ein Amerikaner gesteht, sich zwar an jedem Tag etwas vorzunehmen, denn eine Besichtigung oder Tour gebe ihm das Gefühl, eine Mission zu verfolgen. Er schaffe es aber selten, sie zu erfüllen. Ein Brite berichtet, daß er eine Woche lang auf Lombok bleiben mußte, weil er am ersten Tag einen solchen Sonnenbrand bekam, daß er seinen Rucksack nicht mehr aufsetzen konnte. Er hat seit sieben Wochen die Kleider nicht gewaschen, als wir ihn treffen.

Unsere Gespräche drehen sich meist um Logistisches. Welcher Ort wie zu erreichen ist, was man wo bezahlen muß. Ich frage, ob es sich lohnt, nach Myanmar zu fahren, und die höchste und von manchen einzige als Empfehlung vorgebrachte Auskunft ist: „It's so cheap."

Eins der Reisebüros bietet Rundreisen an, die unter anderem Addis Abeba, Aden, Sanaa, Mogadiscio, oder auch die zentralasiatischen Hauptstädte Aschgabat, Taschkent, Samarkand, Bischkek und Duschanbe einschließen. Auf meine Nachfrage hin erklärt der Agent, Mogadiscio werde derzeit ausgelassen. Es sei bei keiner Airline mehr im Programm. Das werde sich aber bald ändern. Zu meiner Beruhigung fragt er besorgt nach, ob ich wirklich nach Somalia wolle.

Das größte Antiquariat auf Thanon Khao San hat den Charakter einer Universitätsbibliothek. Klassiker und Reiseliteratur machen einen Großteil des Sortiments aus. Bruce Chatwin wird hoch gehandelt. Ich kaufe eine Ausgabe der Gesammelten Gedichte von Octavio Paz. Sie wird im Lauf der nächsten Wochen zum lädiertesten Buch, das ich besitze. Ein Museum moderner Kunst könnte es als Emblem für die verschleißende Wirkung von Mobilität interessieren. Ich stelle mir den weißen Band in einer Vitrine vor, dessen

Rücken auf einer Truckfahrt gebrochen ist, dessen Seiten sich wellen, seit sie am offenen Fenster vom einsetzenden Monsun gesprenkelt wurden.

Besser geschützt gegen alle Arten eindringender Flüssigkeiten, sei es der Schweiß, der in die Wadentasche diffundiert, sei es Niederschlag oder die Langzeitwirkung von schwüler Luft, ist Deutschlands Paß. Er ist einer der wenigen mit einem festen Umschlag. Da ich meinen Ausweis immer in meiner Cargohose trage, ist sein Umschlag bald abgerieben. Wappen und der Name meines Herkunftslandes sind verschwunden.

Den Paß eines kleineren Landes zu besitzen, kann Nachteile bringen. Stefan, ein angehender Jurist aus Slowenien, und seine Freundin spürten das. Als sie in Auckland ein Visum für Australien beantragen wollten, wehrte sich die Beamtin. Sie fragte nach Anstellungsbestätigung und Bankauszügen. Woher solle sie wissen, daß die beiden genug zum Überleben hätten? Gebe es denn überhaupt Brot in ihrem Land?

Und die indische Botschaft in Bangkok bestellte beide ein.

„Wir holen nicht die Polizei", war der erste Satz.

Dann hörten sie, es sei schon ein starkes Stück, ein Land zu erfinden und einen Paß zu fälschen.

Mark und ich beantragen ein Visum für Myanmar und buchen unseren Flug. Da alle Landgrenzen geschlossen sind, ist die einzige legale Einreisemöglichkeit der Flug nach Yangon, dem früheren Rangun. Der Flug mit Biman Bangladesh ist unspektakulär. Auffällig nur, daß die Cola wärmer ist als das Hühnchen, das als Hauptgang serviert wird.

4

„Bitte beachten Sie, daß Foreign Independent Travellers (FIT) und Family Visitors (FV) verpflichtet sind, 200 US-Dollar in Foreign Exchange Certificates zu tauschen."

Durch diese Zwangskonversion stellt die Regierung Myanmars, des ehemaligen Birmas, sicher, daß mindestens 200 Dollar aus der Tasche jedes der wenigen Besucher in ihre Verfügung übergehen. Am Flughafen erwarten uns hinter der Paßkontrolle zwei Schalter, über denen „FEC" steht. Hinter jedem der beiden sitzt mehr als ein halbes dutzend Beamte, so daß der Bestechungsversuch zur Umgehung des Zwangsumtauschs nicht nur davon abhängt, daß der jeweils Zuständige ihn annimmt, sondern auch daß alle anderen ihn dulden. Die Wahrscheinlichkeit scheint mir gering. Zitternd im Angesicht einer möglichen Haft in einem internationalen Paria-Staat frage ich trotzdem kleinlaut, ob es eine Möglichkeit gebe, den Zwangsumtausch zu umgehen.

„Five for me", raunt die junge Dame mit dem zusammengekniffenen Gesicht. „And one hundred." Immerhin.

Mark steht am anderen Schalter an. Er ist sich unsicher, stemmt den rechten Arm in die Hüfte, macht einen Buckel, greift sich mit der linken Hand an die spärlich wachsenden Flaumhärchen des Kinns und sieht sich um, jeden Blickkontakt sorgfältig vermeidend. Sein Versuch, den Zwangsumtausch zu umgehen, scheitert offenbar. Er kommt aber mit Zurechtweisung und Gepäckinspektion davon.

Auf der Taxifahrt in die Stadt erinnere mich daran, daß ich einmal jemanden aus diesem Land kannte, Nay Lin, den ich in Windhuk traf. Nie habe ich ein so vollkommen befreites Lachen gesehen wie seines an dem Tag, als er von der namibischen Regierung die Aufenthaltserlaubnis erhielt. Sein Vater war mit ihm aus der Heimat geflohen, um ihm eine Ausbildung zu ermöglichen. In den letzten dreizehn Jahren, seit dem Militärputsch in Myanmar 1988, waren die höheren Bildungseinrichtungen länger geschlossen als offen.

In Myanmars wichtigstem Heiligtum, der Shwedagon-Pagode, nimmt uns der Führer nach Erläuterung der Kultstätten beiseite, zieht uns auf eine Brüstung zu, von der aus man die Hauptstadt Yangon übersieht. Er deutet auf ein großes Gebäude und fragt, ob ich wisse, was sich darin befinde. Das sei das Parlament; es stehe leer. Er flüstert, sie wollten hier in der Stadt nichts haben, was als Menschenansammlung Unruhe stiften könnte. Selbst die Busbahnhöfe seien in die Außenbezirke verlegt.

Nachdem wir die Pagode verlassen haben, kommentiert sein Freund, der inzwischen dazugestoßen ist, lauthals: „Das hat unsere Regierung entschieden. Verrückt! Genauso daß sie auf Rechtsverkehr umgestellt haben, obwohl doch keine Autos produziert oder eingeführt werden. Nun fahren all die alten, rechtsgesteuerten Autos auf der rechten Fahrbahn!"

Beim ersten abendlichen Spaziergang bemerke ich, wie viele Menschen, die allein unterwegs sind, auf der Straße laut vor sich hin singen. Fast alle, Männer wie Frauen, tragen ein weißes Make-up, das sogenannte Thanaka. Es wird aus zerriebener Rinde gewonnen und dient dazu, die Haut blaß und geschmeidig zu halten. Westliche Kleidung ist nur in Form von Hemden präsent; statt Hosen werden Longyis getragen, die sich von indonesischen Sarongs durch die Art unterscheiden, wie sie um die Hüften geknotet werden.

In einer Bar empfängt uns eine Bande von Kindern, die das Lokal führen. Formvollendet höflich und grinsend erläutern sie, sie machten hier Snacks, wir möchten doch probieren. Sie wimmeln freudig und erkundigen sich nach unserem Wohlergehen; im Fall irgend welcher Fragen sollen wir nicht zögern, nach ihnen zu schicken. Das Land scheint von Kindern am Laufen gehalten zu werden. Fahrer, Kellner, Soldaten, überall haben wir mit quirligen Sechzehnjährigen zu tun. Einer der Hauptvorwürfe der internationalen Gemeinschaft an die Militärregierung ist Kinderzwangsarbeit. In den großen Städten ist sie kaum zu sehen. Aber auf der Straße ins entlegene Hsipaw sehe ich Kinder eine Fahrbahn ausbessern.

In unserem kleinen Lokal frage ich, wo man die schönsten Longyis kaufen könne. Einer der jungen Kellner führt uns zur Filiale von Giordano. Es ist sicher das einzige Kleidungsgeschäft, in dem keine Longyis erhältlich sind. Man hatte einfach nicht annehmen wollen, daß jemand aus dem fortschrittlichen Ausland tatsächlich an der einheimischen Kleidung interessiert sein könnte.

Internationale Konzerne halten sich an den wirtschaftlichen Boykott, der gegen die Militärjunta und damit gegen die Bevölkerung verhängt wurde. Beinah kein westliches Markenprodukt ist erhältlich. Dafür begegnen uns Logos, die diesen eigenartig ähnlich sehen. „McBurger" etwa, oder „J-Donuts"; Coca Cola ist ein Luxusgut, meist gibt es „Star Cola". Eine Ausnahme bildet die singapurische Bierfirma Tiger, die omnipräsent ist. Nicht zuletzt hat sie viele Straßenschilder gesponsert. Unter englischen und burmesischen Ortsbezeichnungen prangt das blau-orangene Bieremblem. Durch den internationalen Boykott ist der Touristenstrom fast versiegt. Die wenigen Reisenden sind Buddhisten, verdeckte, oft auf eigene Faust tätige Menschenrechtsaktivisten, Traumerfüller. Auch in der Nähe der Shwedagon-Pagode, immerhin die Hauptattraktion des Landes, begegnete uns nur ein westlicher Ausländer. Er sagte, er komme immer wieder nach Myanmar. Das verblüffte mich – wenn er doch ein Reisender ist, warum würde er immer wieder dasselbe Ziel anfliegen? Er sagte unverbindlich, er liebe das Land und seine Menschen. Ich dachte nicht weiter drüber nach.

Zurück im Restaurant setzen wir uns zum Abendessen. Es nähert sich absichtsvoll ein aggressiver Herr mit einem *lonely planet* und verkündet, daß „dieses Buch" viele falsche Informationen über Myanmar verbreite. Seine Verachtung wird dadurch gesteigert, daß er offenbar um die Reichweite des Reiseführers weiß, die uns deutlich wurde, als wir zum ersten Mal das Adjektiv „lonelyplanet-weit" hörten, das sich auf die Vernetzung der Reisenden in Südostasien bezog. Der politische Einfluß des Reiseführers ist nicht zu unterschätzen. Ich höre zu und bestelle Sperling – weil ich den Anblick, der sich mir auf dem rasch servierten Teller bietet, vorher nicht erwarten konnte. Mit Todesverachtung breche ich den etwa zehn unglücklichen Viechern die weißlichen Köpfe ab und kaue auf den schwarzverbrannten Leibchen und Flügeln herum. Drei Pils der beim World Beer Cup ausgezeichneten Marke „Myanmar", ein Teller Fried Rice und eine Flasche Wasser (für zusammen etwa zwei Euro) müssen mir über diese Erfahrung hinweghelfen. Der aggressive Herr ist inzwischen wieder verschwunden.

Der Engländer, der am nächsten Morgen beim Frühstück sitzt, mit Rastalocken, ist etwa 40 Jahre alt. Er stellt sich als Computerdesigner vor, der Figuren für Abenteuerspiele entwirft. Wenn er kein Projekt habe, könne er ein paar Monate reisen, danach arbeite er wieder rund um die Uhr. Er zittert.

„Alle fragen mich, warum ich zittere. Weil ich Alkoholiker bin, ganz einfach. In meinem Beruf wird man zum Trinker. Sonst hält man die Belastung nicht durch."

Er spricht langsam, als wanke er über einen schmalen Steg, und schenkt sich seinen dritten schwarzen Kaffee ein. Seine Stirn beginnt zu bluten. Gestern sei er etwas zu lange draußen gewesen, und er habe seine Sonnencreme vergessen, ist seine Erklärung.

Mark und ich reden über die Konferenzen, die wir besucht haben. Sein Vater war Professor für Tierernährung. Das Kinderprogramm auf Tagungen seiner Zunft sei meist so langweilig gewesen wie die anderen Kinder. In den USA hätten sich die kanadischen Kinder immer verbündet und über die amerikanischen lustig gemacht. Die seien normalerweise etwas langsamer gewesen.

Eine feste Einrichtung in Yangon ist das Buchantiquariat Pagan. Die 37th Street wird gesäumt von Straßenhändlern, die auf ausgebreiteten Decken oder kleinen Regalen dünne, kopierte Hefte verkaufen, englische Sprachbücher und, allgegenwärtig, George Orwells Roman *Burmese Days* in der Penguin-Ausgabe, die in großem Maßstab plagiiert wird. Mit Ausnahme bestimmter Schulbücher ist der Import von Büchern nach Myanmar verboten. Nur etwa 200 Bücher werden pro Jahr hier veröffentlicht. Der Antiquar im Pagan restauriert und verkauft, so beschreibt er zynisch seine Tätigkeit, was Menschen aus ihren Kellern hervorholten.

Die Bestände stammen meist aus der Zeit, da Birma zu Britisch-Indien gehörte. Ich kaufe nur einen Band englischer Gedichte, weil ich zwar den Umsatz anrege, aber dem geschlossenen Markt durch Export nicht Geistiges entziehen möchte. Beim Bezahlen sehe ich auf der vollgestapelten Theke zwischen aufgeschnittenen Rücken, Leim und Fäden ein kürzlich erschienenes Buch. Jemand hat es wohl eingeschmuggelt.

„Brauchen Sie Leute, die Ihnen Bücher mitbringen?" frage ich.

Nein, antwortet er hastig. Beruhigter dann: Dieses System werde irgendwann von einem anderen abgelöst werden. Derzeit sei es ihr Schicksal. Sein Charme und sein Lächeln sind ganz bei sich selbst und doch wie auf der Suche.

5

Im Bus Richtung Shan State trinke ich das unvermeidliche isotonische 100 plus und kaue auf vor geraumer Zeit Gebackenem, das ich auf dem verregneten Busbahnhof von einer lustlosen Dame erstanden habe. Mein reisendes Hochgefühl macht mir das Getränk und die Kekse zu Nektar und Ambrosia.

Von der blaßblau angestrichenen Decke des Busses blättert die Farbe ab. Graue Stellen liegen offen, die wie Kontinente schwimmen. Die Weite einer Weltkarte vom Alter derer in meiner Grundschule, vor denen ich geträumt habe und vor denen uns der Direktor erklärt hat, wo West und wo Ost ist. Er hat es vertauscht, damals, und es dauerte etwas, bis ihm sein Fehler auffiel. Heute fahre ich durch eines der Länder, die ich damals noch nicht kannte.

Mark hat eine Ausgabe von Adam Smiths *Wealth of Nations* dabei, in deren Rückenklappe er als eiserne finanzielle Reserve einige Reisechecks verwahrt. Er hat sich vorgenommen, diesen Klassiker und Platons *Politeia* zu lesen. Dabei legt er den Nagel des rechten kleinen Fingers auf die Lippen. Er schläft aber auch diesmal nach wenigen Absätzen ein.

Nach einigen Stunden, es ist bereits dunkel, bleibt der Bus stehen. Es ist keine der regelmäßigen Rasten, wie gleich deutlich ist. Durch die Windschutzscheibe sehen wir andere Fahrzeuge, Gruppen von ratlosen Menschen vor Wasser, wie am Strand. Aber es ist die Straße, die auf einer Länge von hundert Metern überflutet ist. Alle männlichen Fahrgäste, außer den Mönchen, steigen aus, waten ins Wasser. Sie scheinen zu wissen, was zu tun ist. Entlang der Fahrbahn stellen sie sich auf. Der Bus wird zu Wasser gelassen wie ein Schiff, schaufelt sich wie ein Raddampfer voran, wir eskortieren ihn, der ins Schwimmen gerät, schieben ihn. Das Wasser an der tiefsten Stelle ist weit mehr als knietief. Am anderen Ufer der Straße schnaubt er wieder herauf, und wir fahren weiter.

Myanmars Ostprovinz ist durch Anschläge der Shan State Army destabilisiert. Nicht zuletzt deshalb wurde Tachilek, der Grenzübergang zu Thailand, wieder geschlossen. Als wir in Hsipaw ankommen, einem charmanten Dorf mitten in jener Provinz, frage ich beim Einchecken, mehr im Scherz und um die Konversation zu eröffnen:

„Na, keine Shan State Army mehr hier, oder?"

„Oh doch", antwortet lächelnd der Besitzer, so freundlich als böte er mir ein Erfrischungstuch an, „aber sie haben mit der Regierung Frieden geschlossen."

Wir geraten in keine gefährlichen Situationen. Im Gegenteil, das an beiden Ortseingängen aufgestellte Schild mit der Aufschrift „Please provide necessary assistance to the international travellers" auf Englisch und Burmesisch faßt die freundliche Atmosphäre zusammen. Abends essen wir zusammen mit allen Ausländern, die sich in der Stadt befinden. Man kann sie an zwei Händen abzählen.

Von Hsipaw aus fahren wir mit dem Zug nach Maymyo, das heute Pyin U Lwin heißt. Die Bahn haben wir bisher vermieden, weil sie staatlich ist und zudem teurer als Überlandbusse. Den Zug nennen die Einheimischen „buffalo", die Touristen „waddling penguin". Die einen sehen die Kraft, die anderen spüren, daß Gleise wie Wagen seit Jahrzehnten nicht mehr gewartet wurden.

Zwei Bänke vor uns beugt sich ein Junge über die Lehne, grinst uns an – und sieht nicht weg, strahlt uns einfach weiter an. Einer geht mit einer Flasche voll weißem Pulver durch den Wagen, gibt jedem davon auf die Hand. Als auch ich mir etwas geben lasse, erhalte ich johlenden Beifall. Es schmeckt säuerlich; der Geschmack verliert sich schnell, weitere Wirkungen spüre ich nicht. Nachher sagen mir andere Passagiere, es sei etwas Verdauungsförderndes gewesen. Leute hieven Gepäck durchs Fenster und klettern dann selbst hinein, andere klettern bei voller Fahrt außen von Wagen zu Wagen. Die vielen Verkäufer mit Snacks in großen Körben, Erdnüssen, Früchten, Reis, Gebäck erzeugen die Atmosphäre einer fahrenden Markthalle. Von der Eisenstange des Gepäckverstaus hängen Bananenstauden, Schirme, Pilze, Hüte, Plastiksäcke. Auf dem Holzfußboden wimmelt es von abgestellten Sandalen.

Der Zug bremst, wir rollen langsam, an einem Steilhang entlang, auf eine scheinbar endlose Brücke zu, die ich auf einem Photo in der Zeitung gesehen hatte. Sie war in der Serie „Siege des Staates, des Volkes und der Tatmadaw" (der Armee) vorgestellt worden.

Alle Unterhaltungen enden, ehrfürchtiges Schweigen, vielleicht Angst, Unsicherheit.

Der Blick ist atemberaubend über am Horizont zerfließendes Tal.

Mark lehnt sich aus dem Fenster, um ein Photo zu machen. Ein fülliger, Autorität ausstrahlender Mann hält ihn gleich zurück: Mit einer knappen Geste gebietet er, die Kamera wegzustecken. Von strategischen Einrichtungen dürfen keine Aufnahmen gemacht werden. Ich vermittle, indem ich auf das Tal zeige und dann auf die Kamera, daß ein Bild des Abgrunds eigentlich auch schöner sei. Das gesteht der zähe Fünfzigjährige mit der zu großen Brille großmütig zu.

Am Bahnhof in Pyin U Lwin spricht uns ein junger Mann in Mönchskutte an. Er klagt über die schlechte Infrastruktur, den Zustand der Straßen und die unzuverlässige Versorgung mit Strom.

Er würde gern reisen, lese viel über das Ausland. Bis vor kurzem sei er Taxifahrer gewesen, aber er wolle ein freieres Leben führen. Als Mönch könne er wenigstens von Kloster zu Kloster fahren. Wir sollten allen zu Hause erzählen, daß wir am Bahnhof in Maymyo einen Mönch getroffen haben. Da wir hier Station machen, bitten wir ihn, uns doch zu begleiten. Er sagt, er heiße Yi Mon, habe in seinem Taxi Touristen durch die Stadt und die Gegend gefahren, wolle sich aber nicht vom freien Reden abhalten lassen. Das hatte er einst unterschreiben müssen. Gern werde er uns aber zeigen, was sich lohne und woran man vorbeifahren könne. Wir mieten ihn nicht als Führer, sondern nehmen ihn als freundliche Bekanntschaft mit. Im Lauf der folgenden Stunden weist er uns auf koloniale Bauten hin, zeigt uns versteckte Läden und lädt uns in die Hütte seiner Familie ein.

In überschwenglicher Dankbarkeit schenke ich ihm das Portemonnaie meines Großvaters. Das tut mir weh, sofort nachdem wir uns mit herzlicher Umarmung verabschiedet haben, weil es das einzige Objekt war, das ich von ihm besaß. Ich habe ihn nie kennengelernt, aber nach den Berichten meiner Familie habe ich viel mit ihm gemeinsam. Ich versuche, eine Kette zu konstruieren zwischen der Großzügigkeit, die er auf seinem Heimweg aus Moskau, vom Rußlandfeldzug, erfuhr, obwohl er noch seine Uniform anhatte. Er konnte sich den Bauern gegenüber damals nicht revanchieren. Mit vielleicht ebenso selbstloser Großzügigkeit, sage ich mir, wurde ich hier aufgenommen. Yi Mon gab mir eine Buddhastatuette, vor der er, wie er sagte, seit Jahr und Tag betete. Es schien mir, daß sie ihm viel bedeutet, so wollte ich etwas im Tausch geben.

Ich dachte, Dinge hätten keine Bedeutung für mich, aber ich habe ohne Not eine Nabelschnur durchschnitten, eine Kanüle entfernt. Die Glaubwürdigkeit der Geschichte vom bedeutsamen Gegenstand, den ein Fremder schenkt, wird mir fraglich, als ich mich erinnere, wie meinem Freund Michiel eine generationenübertragene Buddhastatue auf Ko Samui überreicht worden war.

Die Tragweite meiner Handlung habe ich für mich unterschätzt, und ich bin nicht sicher, ob sie gerechtfertigt war. Ich habe nicht einmal eine ausgesprochen buddhistische Tat begangen, allenfalls habe ich sie nachgeahmt. Es ist eines, die Erklärungen eines Fremdenführers aufgrund mangelnder Sprachkenntnisse nicht zu verstehen; hinzu kommt, daß mir seine Motive und der Grad seiner emotionalen Anteilnahme nicht deutlich sind. Aber das ärgste ist, daß ich mich selbst nicht verstehe. Es war ein Verrat und gegen die Gesetze der Angemessenheit, scheint mir. Was dieser Begriff bedeutet, ist mir nicht klar. Irgendwie merke ich aber, daß er grundlegend sein sollte für den Austausch, den ich mit Menschen und Orten auf dem Weg habe. Ich werde darüber nachdenken, nehme ich mir vor.

Wir übernachten hier, und am Morgen pfeift es aus der Küche den deutschen Perestroika-Schlager „Wind of Change". Als der Pfeifende stockt, setze ich ein. Nach einer Weile kommt ein Junge mit meinem englischen Frühstück heraus, gefolgt von vier Hunden. Ich bitte ihn, doch auf seiner Gitarre weiterzuspielen. Er tut es, sichtlich froh, darum gebeten zu werden, während sein Vater sich weiter um uns Gäste kümmert. Mit Inbrunst spielt und singt er. Nachher erzählt er, es gebe zwei burmesische Sprichwörter: „Geld bewirkt alles", und „Aufrichtigkeit ist Macht". Die meisten glaubten nur an das erste.

6

Die ersten schweren Güsse des zu früh eingetroffenen Monsunregens hatten die Brücke über den See Meiktila vor der gleichnamigen Stadt für den Schwerverkehr unpassierbar gemacht. See und Stadt liegen auf halber Strecke auf unserem Weg nach Nyaungshwe. Wir fahren also mit einem Überlandtaxi los, das, so wird uns gesagt, die Brücke noch überqueren kann. Schon auf dem teils überfluteten Weg dorthin hat es zuweilen die Aufgaben eines Luftkissenboots zu erfüllen. Am Busbahnhof von Meiktila gilt es dann, den richtigen Pick-up für die Weiterreise zu finden und den Fahrpreis festzustellen.

Niemand spricht Englisch. Die Stimmung ist gereizt. Man schreibt auf Hände, dreht sie weg und gestikuliert, aus desinteressierten und vernachlässigten Augen lacht man uns aus. 160.000 kyat fordern sie, was die uns angekündigten 500 weit übersteigt. Wir handeln den Tarif bis auf 1000 hinunter. Der Reisende erhält ein Gefühl der Macht über Menschen, das er vorher nicht kannte. Aber wenn mein Wort Gesetz wäre, ist es dann Zeit zu sprechen? Soviel kann man mit Menschen austauschen außerhalb von Worten. Man sollte hier auch eigentlich als Reisender nicht sein, es ist keine bedeutende Stadt, nur eine Kreuzung großer Straßen, irgendwo mitten im Land. Der Truck füllt sich. Wir kauern in der ersten Sitzreihe, direkt hinter dem Führerhaus. Ich muß die Knie anziehen und mich ducken, so eng ist es.

Als diese Haltung nicht mehr erträglich ist, versuche ich, den Kopf unter der Plane hindurchzustecken, die vom Dach bis auf die Höhe meiner Schulter hinunterhängt und bei Regen ganz ausgerollt wird. Der Blick gleitet über grünes, endloses, enges Tal. Trübes, fauliges Licht verunsichert die Hänge. Es ist still, und ich weiß, hier ist das Ende der Welt. Ich bin ganz sicher. Falten aus triefenden Bergen, die holprige Straße, selten eine Hütte. Keine der allgegenwärtigen Werbetafeln für Tiger-Bier. Vor den Hütten liegen die riesigen, zwei Fußball großen Jackfrüchte. Auf der Heckstange des Pick-ups, der uns überholt, balancieren Passagiere. Er fährt uns voraus in die Berge, eine Landschaft von einer Fremdheit, als hätte Dante sie sich so ausgedacht. Wenn uns ein Fahrzeug entgegenkommt, ein ebenfalls vollbeladener Truck, muß ich meinen Kopf einziehen, zurück ins Innere, sonst kommen wir nicht aneinander vorbei. Nachdem ich ihn vorbeifahren hörte, hänge ich mich wieder heraus, bis der nächste Truck uns entgegenkommt. Schon bei normaler Fahrt sind die Straßen so eng, daß bei jeder Felsnase der Eindruck entsteht, man werde den Abhang herunterrutschen. Wenn ein Fahrzeug aus der Gegenrichtung sichtbar wird, scheint es den Berg hinaufzufahren oder für einen Moment über dem Abhang zu hängen wie eine Comicfigur, die strauchelt und, sich besinnend, einfach zurückspringt.

Es wird Nacht, Mark und ich klettern aufs Dach, wo schon einige sitzen, zwischen den Taschen und Rucksäcken. Ich setze mich ganz nach vorn, wie auf einem Kutschbock. Der Wind ist so laut, daß der Motor nicht hörbar ist. Dunkelheit. Wenige Lichter irgendwo in den Falten der Täler, keine Geräusche außer dem Wind. Einer der anderen singt, hört auf zu singen. Der Wind ist sehr kalt, aber ich friere nicht, weil ich entschieden habe, daß ich wie der Wind bin. Es ist ein wehender Brand auf meinen Unterarmen, meinem Gesicht. Die anderen steigen bei einem Halt ab, kommen irgendwo an, oder gehen in den Wagen. Wir bleiben oben, legen uns auf das Dach und sehen. Wir sind nur von Himmel umgeben. Der Mond ist von durchdringender Leuchtkraft. Ein einzelner Stern, zeigt Mark. Die Formationen der Wolken, die ich deute, wie automatisch. Der ganze Gesichtskreis ist von Wolken angefüllt. Dann eine Sternschnuppe, und sofort weiß ich, wie noch nie, was ich mir wünsche, was der einzige angemessene Wunsch ist: jenes *aptum* doch zu finden, zu tun, das Angemessene.

Wind züngelt auf meinem Körper, wir rücken näher zusammen, Äste fliegen über uns. Ich bin die Hoffnung. Ein klarer Kopf wie noch nie. An einer verlassenen, weiten Kreuzung signalisiert man uns, wir sollten absteigen. Schweigend hilft man uns mit den Rucksäcken, zwei Rikschas stehen bereit, ein Preis wird genannt, den ich nicht verhandele, weil er anständig ist. Noch einmal eine Stunde fahren wir, der Weg ist leicht ansteigend. An einer der Stellen, an denen Trinkwasser in großen, von einem umgekippten Teller verschlossenen Krügen bereitsteht, halten wir. Mein Fahrer bietet mir ein Glas an, ich trinke einen Schluck. Ich spüre die alte Unsicherheit, ob da eine Religion ist für mich. Hier ist ihr Kelch. Dann gehen wir ins erstbeste Guesthouse. Lange wachliegend reden wir über Marks posaunespielenden besten Freund und Rußlands geostrategische Position.

Der Himmel, der um uns war, als wir auf dem Dach des Trucks lagen, ist am Morgen unter uns, gespiegelt im Inle Lake. Wir mieten ein kleines Boot, dessen Fahrer uns zu Webern und Zigarrendreherinnen, auf den Markt und zum Tempel der springenden Katzen fährt. Das Kloster Phe Chaung wurde nicht wegen seiner kunsthandwerklichen Schätze bekannt, sondern weil die Mönche irgendwann begannen, Katzen zu trainieren. Um sich die Zeit zu vertreiben, brachten sie ihren zwei dutzend vierbeinigen Mitbewohnern bei, durch immer höher gehaltene Reife zu springen. Inzwischen gibt es mehr Katzen als Mönche und mehr Touristen als Buddhastatuen. Ich kaufe eine pink und violett gestreifte Umhängetasche, wie sie hier die Männer vom Stamm der Pa O tragen. Es hat keinen Sinn, etwas Traditionelles zu kaufen, das einem nichts sagt oder nicht gefällt. Man muß die Schnittmenge finden. Je größer sie ist, desto weiter hat man sich geöffnet, desto mehr ist man der Situation, der Tradition verbunden.

Ich schreibe abends einen Brief, den der Wind wie ein neugieriger Hund liest. Als ich unterzeichne, weht er ihn gegen den Bambuspfosten der Terrasse, und dann in den grünen See. Erinnerung an die gegenwärtige Regenzeit. Ich trinke noch einen Wodka.

„Why does my heart feel so bad?" tönt zum Sonnenuntergang aus der Stereoanlage.

Dieses Guesthouse hat, ungewöhnlicherweise, einen Schreibtisch im Zimmer. Reisende schreiben nicht, sie schicken nur Pakete heim. In dem Gedichtband aus Yangon lese ich Robert Brownings „Last Ride Together". Der Sprecher wünscht sich eine gemeinsame Fahrt mit der Dame, die seine Liebe zurückgewiesen hat. Sie gewährt ihm den Wunsch. Für ihn wird die Fahrt wichtiger, bedeutsamer als alle Reichtümer und Leistungen der Welt. Die Zeit der Gemeinsamkeit dauert, indem sie ihrem Ende zugeht.

I SAID – Then, dearest, since 'tis so,
Since now at length my fate I know,
Since nothing all my love avails,
Since all, my life seem'd meant for, fails,
  Since this was written and needs must be –
My whole heart rises up to bless
Your name in pride and thankfulness!
Take back the hope you gave, – I claim
Only a memory of the same,
– And this beside, if you will not blame;
  Your leave for one more last ride with me.

My mistress bent that brow of hers,
Those deep dark eyes where pride demurs
When pity would be softening through,
Fix'd me a breathing-while or two
  With life or death in the balance: right!
The blood replenish'd me again;
My last thought was at least not vain:
I and my mistress, side by side
Shall be together, breathe and ride,
So, one day more am I deified.
  Who knows but the world may end to-night?

Die letzte Strophe versteigt sich zu der Hoffnung, daß der Augenblick der gemeinsamen Fahrt ewig dauern werde.

And yet – she has not spoke so long!
What if heaven be that, fair and strong
At life's best, with our eyes upturn'd
Whither life's flower is first discern'd,
  We, fix'd so, ever should so abide?

What if we still ride on, we two
With life for ever old yet new,
Changed not in kind but in degree,
The instant made eternity, –
And heaven just prove that I and she
Ride, ride together, for ever ride?

Die Rückfahrt in die Hauptstadt werde 18 Stunden dauern, sagt man uns. Das schreckt uns schon gar nicht mehr. Im internationalen Terminal des Flughafens von Yangon kommen wir zwei Stunden vor Abflug der Maschine von Biman Bangladesh an. Nach der dreiwöchigen Rundreise kennen wir praktisch alle, die mit uns in der Schlange zum Einchecken stehen. Es ist ein Familientreffen von Einzelgängern und folglich nicht sehr kommunikativ. Ein gestörtes MTV im Angesicht der wahrscheinlich ältesten Flughafenbusse der Welt. Siege des Staates, des Volkes und der Tatmadaw.

7

Wir treffen wieder in Bangkok ein, wohnen in der Nähe des Bahnhofs, von wo aus wir nach Singapur zurück wollen. Mark ist unterwegs, ich bleibe erst einmal hier, um ein Bier zu trinken, mit einem, der mich einfach an seinen Tisch winkt. Er spricht kein Wort, und nur über Blicke tauscht sich etwas aus, dann geht er weiter, und nichts weiter geschieht und alles ist geschehen, war da für einen Moment, alles. Kurz nach sechs bin ich noch immer in der Bar auf der Empore, sehe auf die Züge hinunter. Die Nationalhymne ist gerade verklungen, die Menschen bewegen sich wieder. Mein rotes Notizbuch liegt vor mir und fragt mich, wie es mir geht. Eine Mischung aus Faulheit, Vertrauen und Befriedigung macht meine Gegenwart aus, und über die Zukunft mache ich mir keine Gedanken: Sie ist der nächste Ort. Jeder Aufenthalt ist vorläufig und wird nach kurzem enden. Als Reisender ist man zu schnell dafür, daß einem jemand etwas nachtragen könnte. Die gute Seite dessen, auf sich allein gestellt zu sein. Ich bezahle mein Bier, gehe nach unten, um einen Mitarbeiter der Tourist Information nach dem Weg zu fragen. Auf seinem Namensschild steht Actor. Mit großen Augen sieht er mich an, mit großer Geste zeigt er auf die *Bangkok Post,* die ich unter dem Arm trage. Das Titelfoto zeigt die Ruinen des eben attackierten New Yorker World Trade Centers.

Actor schreit lachend: „My home! My home!"

Ich habe nur ein paar Zeilen über das gelesen, was da gerade passiert ist, bin zu sehr davon eingenommen, hier einen Weg zu finden. Etwas angetrunken spekuliere ich, ob es neben Grundfarben auch Grundheilmittel gibt. Alle Farben sind rot, gelb, blau. Alle Medizin ist Bananen, Vaseline und Guinness.

Es ist zu weit, um zu Marks Freund zu laufen, bei dem wir verabredet sind. Ich steige ins Taxi. Mein kurzärmliges Irren. Maßlos achtspurige Straßen gleiten im Nachtregen aus. Die Reifen eines schwarzen, kalten Wagens schleudern uns Regenwasser entgegen. Beleuchtete Fassaden schweigen einander an. Was weiß denn ich, wo das ist, wohin ich will, ich keife meinen Fahrer an, weil er es auch nicht weiß.

Dann treffe ich Mark und seinen Freund, der uns sinnvoll um Gespräche gruppieren kann, behutsam, wie es Mittelstreifen und Rastlosigkeiten nicht vermögen. Er sagt, daß ich am Satzende die Stimme anhebe, lasse unzweideutig darauf schließen, daß ich Kanadier sei.

Ampelschaltungen
(Natascha)

Ich schreibe Anke, die gerade in Austin wohnt, aus dem Computer Centre der National University of Singapore eine E-Mail. 9 Uhr morgens meiner Zeit, und zwischen mir und meiner Freundin in Texas liegt die europäische Nacht. Abends treffe ich Natascha, auch eine immer Weiterreisende.

Sie genießt die Gastgeber-Rolle auf ihrer Udo-Jürgens-Party, auf der ein paar nette Leute sind, aber sonst nur solche, die nichts reden. Oder die nur antworten. Man spricht darüber, was wir mal machen wollen. Dieses Beharren auf Zukunft hat etwas Läppisches. Ich sage, mir ist es völlig egal, was ich mal machen werde. Ich könnte ein Professor sein, oder Hedge Funds managen. Immerhin läßt sich mein Gegenüber, Anna, auf dieses absurde Statement ein.

„Was magst du denn lieber, Menschen oder Zahlen?"

„Beides", sage ich nölend.

„Na, dann könntest du Menschen zählen. Du könntest Demograph werden."

Ich verspreche, darüber nachzudenken. Natascha setzt sich zu uns, und man erzählt einander, wo man herkommt, und wie oft man schon umgezogen ist. Auch immer das gleiche, und immer führt es in dieselbe Melancholie.

„Das schlimmste ist, daß man immer wieder weggeht, daß man immer wieder seine Freunde im Stich läßt."

„Wenn ich mich zum Telefonieren mit jemandem in Europa und so irgendwo verabrede, schreibe ich in meinen E-Mails hinter der Uhrzeit immer mt oder yt, statt am oder pm, um zu sagen, für welche Zeitzone die Zeit gilt. My time und Your time."

„Also was? ‚Wir telefonieren 17yt' oder so?"

„Genau. Fünf Uhr nachmittags deiner Zeit."

„Abartig."

„Ich sage immer, ich bin nicht weg, sondern nur woanders."

„Aber du weißt, daß das nicht stimmt."

„Bist du irgendwo zu Hause?"

„Irgendwo? Schwer zu sagen. Aber ankommen, das hat ja nichts mit einem Ort zu tun. Man kommt an in Beziehungen."

Oder jedenfalls da, wo man die Reihenfolge der Ampelschaltungen an großen Kreuzungen kennt. Pause.

„Was steht eigentlich auf deinem T-Shirt?"

„Kein Zucker, keine Milch. Ich habs in wie vielen Monaten nicht geschafft, hier schwarzen Kaffee zu bekommen. Da hab ich mir die chinesischen Schriftzeichen auf die Brust drucken lassen."

„Mußt mal zu Black Canyon gehen, da gibt's so was. Deren Slogan ist: A Drink from Paradise. Da hatte ich mir nie Sorgen drüber gemacht, aber es ist schon gut zu wissen, daß es im Paradies Kaffee gibt."

„Irgendwie habe ich immer das Gefühl, daß uns das Paradies abspenstig gemacht wurde."

Das war ein non sequitur, und entsprechend schweigt erstmal alles. Dann kommt man wieder auf Sprachverwirrungen zurück. Jeder gibt seine Geschichte zum Besten: daß man in Vientiane in einem „Questhouse" logieren kann, in Vietnam auch dreißig Jahre nach Ende des Krieges noch Coke per „Battle" kaufen oder eine „Massagre" an Rükken und Füßen bekommen kann, und einen Gürtel, der stolz verkündet: „New Pashion".

Mein Mitbewohner Andi aus München kontert gezielt: „That's scho different".

Dann schlägt Natascha vor, doch morgen nach Kuala Lumpur zu fahren, auf eine Konferenz. Sie arbeitet für die Weltbank; Korruptionsbekämpfung und Dezentralisierung sind ihre Spezialgebiete. „Ich hab meiner Mutter gesagt, sie soll ihr Leben in Projekte einteilen, das macht es übersichtlicher." Sie arbeitet mit Vertretern des indonesischen Innen- und des Finanzministeriums zusammen. Beide Ministerien, erläutert sie routiniert, machen ihre eigenen Gesetze, und das Parlament soll koordinieren. „Aber das haben wir noch nicht raus, was die eigentlich wirklich machen."

Die Konferenz zur Lage der malaiischen Welt findet in einem dunkelblauen Sitzungssaal statt, der wie über der ganzen Welt liegt und mit schwerem Holz ausgekleidet ist. Stille Mikrophone vor Bedenken. Die Qualität der Mikrophonanlage läßt die Konferenzteilnehmer auseinanderrücken. Ein malaysischer Teilnehmer beendet seinen Vortrag fünf Minuten vor Ende der ihm zustehenden Zeit. Er lacht: Leider könne er den Rest der Zeit nicht nutzen, „because not much to say." Er hatte ein Referat über das Highwaysystem gehalten und dessen wirtschaftliche Notwendigkeit ebenso ausgeblendet wie den Klüngel bei der Vergabe von Aufträgen. Das gesteht er auch gern zu – er habe nicht genug Geld, um den Verleumdungs-Prozeß zu bezahlen. Natascha seufzt. Sie sehnt sich schon wieder nach dem Weiterflug zu ihren Eltern nach Deutschland.

Am Flughafen Changi in Singapur schiebt sie einen vollgepackten Wagen vor sich her an den Schalter. „Ach, wie schön, Sie sind wieder gesund!" wird Natascha vom Bodenpersonal der Singapore Airlines begrüßt. Ihr Gepäck hat 45 kg Übergewicht. Aber nächstes Mal, sagt Natascha sachlich, werde sie ohne Gepäck reisen. Neulich hat sie, erzählt sie stolz, in vier Stunden in Changi ein Visum für Indonesien organisiert, und noch eine Shiatsu-Massage bekommen. An der Sicherheitsschleuse zeigt sie ihren Laptop vor, der mal wieder kaputt ist. Klimazonen, sagt sie fest – eine im Haus, eine draußen.

Zurück in Deutschland unterhalten wir uns über schweres Gepäck. „Ich hänge nicht so am Materiellen", lacht Natascha, und dann gehen wir Richtung Schuhgeschäft. Natascha öffnet die Tür, aber niemand dreht sich um. „Guten Tag", lächelt sie ins Leere und stellt sich einem Schuhregal. Sie sucht einen spitz zulaufenden schwarzen Schuh mit niedrigem Absatz, matt. Und schon redet sie mit einer Verkäuferin über ihre neue rosa Tasche, deren Noppen behängt sind mit ledernen Blumen. „Das kann kein deutscher Schuster reparieren", stellt sie fest. „Warum können die das nicht? Ich bring das ja schließlich nicht zum Bäcker!"

Abends bei KFC fragt sie mich, in ein frittiertes Hühnerbein beißend, ob ich Mr. Bean möge. Ich mochte ihn, bis ich nach Singapur kam. Auf der Einwanderungsbehörde und in den Bussen, man sieht ihn überall. „Auch in der Reklamationsschlange bei IKEA", sagt Natascha mit einem Nachbeben von Genugtuung und wischt sich die Finger mit zwei hauchdünnen Papiertaschentüchern ab. Ich frage sie, warum sie nach Südostasien ausgewandert sei. „Einmal war ich mit meiner Mutter auf dem Weg von der Uni zum Flughafen, von der NUS nach Changi. Als wir gerade in den Bus dahin steigen wollten, kam ein Jogger um eine Häuserecke, und da habe ich gewußt, daß ich hier mal wohnen will."

Weinprobe und Abendmahl
(Oxford)

1

Das weiß ich nicht. Ich weiß nicht, in welches der vier Gläser, die selbst beim Dessert noch vor mir stehen, ich den Port einzugießen habe, der mir angeboten wird.

„Und wie lange sind Sie schon hier?"

„Ungefähr eine Woche."

„Na, da sind Sie ja wirklich auf die Füße gefallen."

Eine Einladung an den High Table gilt Studenten als Ausweis, daß sie sich etabliert haben; ich dagegen hatte einfach Glück gehabt. In der Frage nach dem richtigen Glas umgeht meine Tischdame alle Peinlichkeit, indem sie nicht erklärt, welche das Port-Glas ist, sondern aus der Situation ein Handeln ableitet: „Nehmen Sie doch dieses Glas hier, das ist etwas kleiner als die anderen. Wenn Sie das größere nehmen, haben Sie sicher morgen Kopfschmerzen." Ich gieße ein, und mir wird bedeutet, daß die Getränke immer von rechts nach links weitergegeben werden müssen, und wenn eine Flasche wieder ankommt, heißt es, sie weiterzureichen, ohne daß das Gespräch ins Stocken gerät.

Ermutigt durch mein neues Gefühl der Zugehörigkeit gestehe ich, wie schön es sei, wieder in Europa zu sein, und schon höre ich im kurzen Schweigen meines professoralen Gegenübers Empörung. Europa. Dazu gehört England natürlich nicht. Daran hatte ich nicht gedacht. Aber unverdrossen geht der Abend weiter. Als Gast stelle ich die Frage nach anderen Gästen: Wird oft und gern eine Einladung ausgesprochen? Natürlich höre ich hierauf kein Nein, denn die Einladung eines Kollegen oder Studenten ist eine Geste, die wegen ihrer Großzügigkeit beinah Pflicht ist. Zugleich soll aber die intime Atmosphäre der College-Gemeinschaft gepflegt werden, und jede Einladung bedeutet auch besondere Arbeit.

„Da verbringt man dann den ganzen Tag damit zu erklären, wo die Leute ihr Auto parken können, und abends muß man erläutern, warum man Hitler nicht mit Stalin vergleichen kann."

Der Besuch in einem anderen College hat den Charakter eines Staatsbesuchs. Heute abend hatte ich mich bei meinem Gastgeber über das Protokoll informiert; der Ankunft an der Lodge, dem großen Torbogen, folgte eine kleine Führung. Das Leben im College bestimmt die Oxford-Erfahrung, die eigene Identität. Die Beschreibung eines Dozenten oder Studenten beginnt fast immer mit der Angabe: „Er ist aus..." Daraus entfaltet sich sogleich eine Reihe von Eigenschaften, ganz wie aus nationalen Stereotypen im 19. Jahrhundert.

Das Zimmer in Wadham, in dem wir uns versammelt haben, ist recht klein, ein gutes dutzend Professoren und ich sitzen um den Tisch. Die dunklen Tapeten und die Gemälde sind kaum sichtbar, weil die Kerzen nicht so weit scheinen. Das Blitzen der Tafelaufsätze, und funkelnde Formulierungen. Nein, Oscar Wilde mag sie nicht, sagt meine Tischdame, eine Biologin. Mit ostentativem Unmut seufzt sie: „Other people's witticisms..."

Wir unterhalten uns über die persische Sammlung des Colleges, die mit einem Eifer zusammengestellt worden war, der einigen suspekt war. Eine Reihe von Fellows von Wadham wollten ihr College nicht mit dem Schah in Verbindung gebracht wissen. Wadham hatte zu Revolutionszeiten einen „Ho Chi Minh Quad", einen Hof, den die Studenten nach dem vietnamesischen Präsidenten benannt hatten. Studenten heute, sagt Ray Ockenden, einer der Fellows hier und nun mein Doktorvater, wissen kaum noch, wer das war. Sie kennen noch die alte Legende, halten Herrn Ho aber wahrscheinlich eher für einen Wohltäter des Colleges. An Proteste erinnern sich ältere Professoren gemütlich.

Nachdem ich in die Nacht verabschiedet werde, lerne ich, wie man in der Mitte einer breiten, steinernen Treppe geht, ohne sich unsicher zu fühlen.

2

Die Stadt der *dreaming spires*, der träumenden Türme, ist ein mächtiges Märchen. Wer eine Universität erwartet, wird sich von einigen Illusionen verabschieden müssen, ohne freilich enttäuscht zu werden. Zunächst einmal, weil er drei dutzend Colleges vorfindet, aber nicht „die Universität" – gleichsam einen Föderalstaat ohne allzu sichtbares nationales Dach. Der gegenwärtige Vizekanzler der Universität versuchte in den ersten zwei Jahren seiner Amtszeit, die Macht der Colleges zu brechen, vergebens. Jedes einzelne hat seine eigene, stolze Tradition und könnte wie ein kleiner Staat funktionieren: Es gibt ein vom eigenen Sicherheitsdienst (den „Porters") bewachtes Staatsgebiet, eine Regierung, eine Bevölkerung, einen Etat, und selbst nach sprachlichen Gewohnheiten, Gebräuchen und Mentalität unterscheiden sich etwa Christ Church und Linacre so sehr voneinander wie wohl kaum zwei deutsche Universitäten. Das College ist streng hierarchisch gegliedert. Dozenten, Graduate und Undergraduate Students leben in eigenen Sphären, und dies auch räumlich gesprochen. Jede Gruppe besitzt einen – oft sehr großzügig ausgestatteten – Common Room. Raum und Identität überschneiden sich; wer eintritt, wo er nicht sein sollte, gibt vor, jemand zu sein, der er nicht ist. Der Middle Common Room (MCR), die Lounge, die ein College seinen Graduate Students zur Verfügung stellt, ist in vielen Fällen eine stattliche Angelegenheit. Als Matthias die Präsidentschaft des MCR in Queen's übernahm, war seine erste Amtshandlung, ein ungeliebtes Jagdstück zu entfernen, das über dem ganz von einem Flachbildschirm ausgefüllten Kamin hing. Eine Anfrage beim „Keeper of Paintings", ob noch ein Royal zur Verfügung stehe, wurde mit der Auskunft beschieden, „Ja, wir haben noch 'ne Queen Anne im Keller." Ähnliche Tatkraft bewies der studentische Amtskollege in Christ Church, Sohn eines Beach Boys, der zuerst einmal ein neues Tafelklavier anschaffte.

Klassenräume suche ich fast vergebens, denn der Unterricht findet in der Regel im Büro des Tutors statt. Was schon etwas über die Kursgröße aussagt. Ein Student ist Erziehung, tausend wären Statistik, ließe sich Stalins schrecklicher Ausspruch variieren. Mein Freund Philip, ein Byzantinist, hatte in drei Jahren Studium ausschließlich Einzelunterricht, oft mit Blick auf Rasen und Bibliothek.

Im Zentrum eines jeden Colleges findet sich die Kapelle. Einige sind so groß wie eine Kathedrale, und eine ist tatsächlich eine Kathedrale, mit eigenem Bischof: Christ Church ist ein College, das seine eigene Gemeinde hat (wer als Tourist am Haupttor zurückgewiesen wird, kann daher zumindest versuchen, sich als Gemeindemitglied auf dem Weg zum Gebet auszugeben). In der Kathedrale gehen die Uhren im wahren Wortsinn anders: Cathedral Time ist eine eigene Zeitzone, fünf Minuten hinter der im Rest des Landes geltenden Zeit. Als die Zeitzonen eingeführt wurden, entschied sich das Domkapitel, nicht mitzumachen. New College und Magdalen (an der Aussprache dieses Namens erkennt man den „Oxonian") ziehen durch ihre Chöre Besucher aus aller Welt an; andere College-Kapellen werden in erster Linie von den eigenen Studenten besucht. Das Universitätsparlament mit seinen über dreitausend Mitgliedern heißt weiterhin Congregation, also „Gemeinde".

Der Besuch des in fast jedem College allabendlich abgehaltenen Gottesdienstes ist nicht mehr verpflichtend (bis ins 19. Jahrhundert war er es), ist aber für viele Teil des eigenen Tagesrhythmus. Die dunklen Glasfenster der Chapel von St John's College wirken, als trage die Kapelle eine Sonnenbrille, deren Gläser mit Heiligenbildern bemalt sind, flankiert von ungebräuchlichen Sprüchen. Der Ritus hält sich, und selbst wer die Gegenwart Gottes nicht annimmt, spürt die immer einladende Stille, die kein Gleißen, keine Feier, kein Vergleich ausschöpft. Die Fragen, die im hektischen Alltag das eigene Selbstbewußtsein immer beschäftigen, können hier in Ruhe vorgebracht werden – „Warum hast du mich erschaffen, mich denen an die Seite gestellt, die schneller, schöner, strenger sind als ich?" Augen aus Stein in ausgeschwungenen, starken Bögen und darüber stehen, gebeugt, erhobenen Hauptes, Gewölbe. Nach hunderten von Jahren stützen Eisenstreben das Kreuz, damit es nicht fällt in unserem faulen Frieden, der nie zur Ruhe kommt. Pochende Säulen an seinen Seiten. Entmüdet singen Stimmen fließend, ergehen sich in diesem Raum. Die Schönheit unerwiderter Hoffnungen. Klänge, die sich täglich wiederholen, ein Gespräch, das nie abbrach, die Glasfenster der Kapelle, bemalte Höhlenwände. Ich gleite durch die Zeiten und gewöhne mich langsam an Oxfords Zeitvorstellungen. Wer als College 450 ist, wird gerade erwachsen.

Wenn man an St John's denkt, denkt man nicht zuerst an Religiöses (außer natürlich an Edmund Campion, ansonsten zum Beispiel an Autoren wie Larkin und Kingsley Amis, die hier ihre ersten ebenso neugierigen wie miesepetrigen Schreibversuche unternahmen). Der heutige Präsident, ein passionierter Organist und ehemaliger Wirtschaftsstaatsminister, spendierte der Kapelle eine neue Orgel, und manche spekulieren, daß es ihm vor allem darum ging, durch das enorme Instrument, das den Bau einer neuen Empore erforderte, die Kapelle selbst zu verkleinern. Aber die Kaplanin tut ihr bestes, und der Chor bildet einen der Pfeiler des religiösen Lebens hier, und einen zusätzlichen Anziehungspunkt.

Mein byzantinistischer Freund Philip läßt sich nicht auf eine bestimmte Glaubensrichtung festlegen. „Ich war neulich in Kerala auf einer ökumenischen Konferenz. Naja, Konferenz ist nicht ganz das richtige Wort. Das war mehr so eine liturgische Roadshow. Da waren unter anderem mehrere Päpste! Alle möglichen Patriarchate haben ihre Häupter entsandt." Philip war fasziniert und ließ sich in seinem Synkretismus bestätigen. Wenn dereinst das Jüngste Gericht tagt, wird es, sobald Philip dran ist, zu einem völligen Stillstand kommen – er paßt einfach in keine Schublade.

Heute ist Sonntag, und das heißt, nach dem Gottesdienst gibt es ein Glas Sherry. Unter den verschiedenen Ehrenämtern, die zur

Verwaltung der Kapelle gehören, ist „Keeper of the Sherry" ohne Zweifel das wichtigste. Zehn Minuten hat die Gemeinde für ein kleines Glas, dann geht es Richtung Abendessen.

3

Im Normalfall essen die Fellows eines Colleges nicht, wie an einem meiner ersten Abende, in einem separaten Zimmer, sondern in der „Hall", am selben Ort wie die Studenten. Pünktlich um 19.15 beginnt Formal: Getrennt in High Table (Dozenten) und Low Table (Studenten, unabhängig von ihrem Status) erscheint, wer sich am Morgen angemeldet hat, je nach College im Talar, im Anzug, oder zuweilen auch mit Talar und T-Shirt. Der sonntägliche Einzug ist feierlich ausgelassen, die Tische sind weiß eingedeckt, Kerzen brennen, der Chor nimmt am langen Mitteltisch Platz. Als die Professoren, geführt vom Präsidenten und der Kaplanin, eingezogen sind, und mit einem Hammerschlag zum Aufstehen aufgefordert wurde, singt der Chor das Tischgebet.

Beim gebändigten Licht der Kerzen über schweren Tischen stehen wir nebeneinander, wie um uns gegenseitig zu bestärken. Ganz auf sicherem Boden hören wir das flotte Gebet. Kurz darauf bringen die Livrierten die Suppe, serviert mit dem Stolz eines gescheiterten Putschisten. Über die Qualität des Essens beschwert sich wieder jeder. Paul, der Wein-Butler, der uns Studenten zur Verfügung steht, ist Kummerkasten und Bote an die Küche. Den kleinen weißen Zettel, mit dem man seine Weinbestellung aufgibt, hält man hinter sich, und man läßt ihn sich aus der Hand nehmen, ohne vom Butler Notiz zu nehmen. Erst wenn er zurückkommt, ist Zeit für ein lockeres Wort. Von der Stadt draußen im Regen des Straßenverkehrs weiß man hier drinnen wenig. „The Ring Road", die Umgehungsstraße, ist wie ein mythischer Ort nahe dem Polarkreis, von dem in manchen Gesprächen gemunkelt wird. Daß die Stadt seit Jahrhunderten auf Konfrontationskurs zur Universität fährt, berührt hier keinen.

Hier hängen an den Wänden Gemälde der ehemaligen Präsidenten, illustrer Förderer und Absolventen. Manche der Namen auf den Tischkarten finden sich sicher irgendwann unter Gemälden. Spürbar liegt zwischen denen, die sich nebeneinander setzen, ein Gruß in der Luft. Wie aber in England so oft, wird als Gruß eine Entschuldigung (für irgend etwas, das nicht in Erfahrung zu bringen ist) gemurmelt. Die interdisziplinäre Natur eines Colleges (fast jedes bietet jedes Fach an) führt Menschen aus den verschiedensten Fachrichtungen zusammen. Beim ersten Gespräch zwischen dem deutschen Germanisten und dem kasachischen Biochemiker wird die Herausforderung einer solchen Konstellation gleich deutlich. In der Theorie ergibt sich nun ein Austausch von Standpunkten; in der Praxis werden die Unterschiede nur verfestigt. Wir sehen aneinander vorbei, als wollte es jeder so. Die beiden kanonisierten Wege, eine Unterhaltung zu eröffnen, also „das Wetter" und „Amerikaner und ihr schockierendes Unwissen über den Rest der Welt" wollen nicht so richtig ziehen. Schließlich gehöre ich meinem Glas Wein und dem Gespräch mit Philip und den Freunden, die ich ohnehin kenne. Getäfelte Versprechen, Obst und Käse, und alle Augen, blaue überraschende und lange wissende. Langstielige Narzissen stehen zwischen Tischgesprächen.

Jedes Gespräch ist ein Musterbeispiel der unterbetonten Souveränität. Ich lerne, daß ich die Arbeit eines Kollegen am schärfsten dadurch kritisiere, daß ich sie als „ambitioniert" oder als „kontrovers" bezeichne. Philips Bekannter, den er eingeladen hat, sagt freundlich lächelnd, als es um Zweitnamen geht, er habe davon zwei: Walter und Benjamin, nach „einem Vorfahren". Nach dem Aussehen darf man natürlich niemanden beurteilen. Aus der Unterhaltung zweier Punks, die heute an mir vorbeigingen, hörte ich nur den Satz: „Gehört der ins sechste oder ins siebte Jahrhundert?" Das stellt noch die Bemerkung in den Schatten, die einer gegenüber seiner Freundin machte: „Das ganze 19. Jahrhundert war Mist." Eben.

Politische Entwicklungen sehen meine englischen Freunde gelassen. England wird ohnehin immer von einem Oxonian regiert (Brown ist eine seltene Ausnahme), im Parlament und in der BBC sind sie allgegenwärtig. Zeitgenössische Theorien werden freilich rezipiert. Als ich im größten Buchladen der Stadt, bei Blackwell's, frage, wo die Politik sei, dreht sich der Verkäufer einmal um seine Achse, zeigt dann in die Luft und ruft: „Überall!"

Meine Tischnachbarin Melanie sagt, sie habe auf Hochzeiten noch nie den Strauß gefangen. Vielleicht liege das daran, vermutet sie sprudelnd selber, daß sie zu dem Zeitpunkt immer schon blau sei.

Und echauffiert sich: „Die werden aber heutzutage auch spät geworfen!"

Kann man eigentlich ein ungeduldiger Fatalist sein, frage ich in mich hinein. Ich genieße die Ausgewogenheit des Tisches und denke daran, daß ich einmal selbst den Tischplan machen mußte. Ich hatte mir in gewisser Weise selbst ein Bein gestellt: Durch meine sexuelle Orientierung lag die Zahl der Frauen um zwei niedriger war als die der Männer. Das war so schnell auch nicht mehr zu ändern. Besagter Doktor Ockenden sah sich den Plan, den ich zusammengezimmert hatte, mit tief konzentriertem Blick an.

Nach einer Weile sagte er verzückt: „Chris, this is beautiful."

Dann vertiefte er sich wieder dahinein, wie in ein Schachspiel. Er begann, mit bestimmten Zügen, von der Mitte aus, einen alternativen Plan (nennen wir ihn die Wadham-Variante), an dem ich noch eine winzige Korrektur vornahm, und dann saß es.

Nach dem Abendessen gibt es noch einen kleinen Digestif im MCR. Wir gehen alle gemeinsam dorthin, und schleichen dort etwas erschöpft ums Drinks-Buffet. Ich auf der Suche nach einem Drink, jemand anderes, den ich noch nicht wahrgenommen hatte, offenbar auf der Suche nach seiner sexuellen Identität. Ich sehe ihn da, und sehe ihn schön, und sage nichts. Es gibt solche Menschen, die es schaffen, daß man sich zwar nicht blöd oder fehl am Platz vorkommt, aber ganz leicht angegammelt. Meistens ist es so ein

Finanzmasochist, der den ganzen Tag vor dem Computer sitzt, um Geld zu verdienen. Nicht bisexuell, sondern gelangweilt. Ich spreche ihn an, und wir kommen ins Gespräch über Computer.

Er sagt lächelnd: „Ich kann schon ein bißchen programmieren, also gut genug, daß mich Geisteswissenschaftler anrufen und um Rat fragen. Aber meistens sag ich dann, Mensch, nimm den Stecker vom Wasserkocher raus, steck den Computer ein, dann geht's schon."

Dann entgegne der andere meist, das einzige, was er über Computer wisse, sei, wo der Laden ist. Wer so unterhaltsam ist wie dieser junge Mann, denke ich, muß sich richtig Mühe geben, und wer sich solche Mühe gibt, muß was von mir wollen. Stimmt natürlich wieder nicht. Ich beobachte ihn. Er kann mit einer Augenbraue oder der linken Oberlippe ein Leben, das vor ihm steht, aus den Angeln heben. Dann fragt er, woher ich komme. Deutschland. Immer wenn ich das sage, beginnen die Menschen, die die Frage gestellt haben, sich sehr gerade aufzurichten, ihre Gesichtsmuskeln zu kontrollieren, um ja keine abschätzige Reaktion sehen zu lassen. Aha, es ist wieder Zeit für Diplomatie.

Diesmal ist er sehr direkt: „Die Juden haben ja Israel als Entschädigung nach dem Zweiten Weltkrieg bekommen. Was haben eigentlich die Schwulen bekommen?"

Ich zögere. Weiß ich nicht.

Die Antwort höre ich nach einer kurzen Pause von dritter Seite: „Naja, Oxford anscheinend."

Heute abend wird es so spät, daß noch der Selbstgebrannte hervorgeholt wird. Wir gehen auf einen Balkon. Philip sagt, einmal in seinem Leben müsse jeder von einem Balkon aus eine Republik ausrufen. Und was noch? Eine Burg und eine Kirche auf eine Anhöhe setzen, ein Feuer machen, dann verläuft sich das Gespräch. Nonversation, nenne ich das nach Jahren von Small talk und Long distance E-Mails. Dann beginnt irgendwo ein Feuerwerk. Man hört es, aber man sieht nichts. Vielleicht, spekuliert Melanie süffisant, ist es wieder eins wie jenes horizontale Feuerwerk, das un-

sere Kaplanin auf die versammelten College-Mitglieder abfeuern ließ. Philip vermutet eine gewaltsame Konfrontation zwischen verschiedenen Banden aus dem (vornehmen) Norden der Stadt:
„Deine Lesart des Phaedrus ist ein großer Mist!"
BAMM!
„Und deine Cicero-Übersetzung eine Schande!"
BAMM! BAMM!
Die Sonne sinkt auf den Heimweg, und Häuserwände treten hervor, die ihre Faust nur mit Mühe zurückhalten. Der Himmel läßt ihnen freie Bahn, und ihre neue Sonne ist eine demütige Laterne. Ich verziehe mich wie ein Opfer von etwas, das eintritt, ohne daß ich davon weiß. Was bleibt von einem solchen Abend? Manchmal ein Gedanke, viel Klatsch (wer verliebt ist, und wer Arbeit gefunden hat), ein neues Wort in einer fremden Sprache, und vielleicht ein Krieg, der in ferner Zukunft nicht erklärt wird.

4

Die Geborgenheit eines Colleges wird jedesmal für einen Augenblick spürbar, wenn ich an jemandem vorbeigehe: Niemand grüßt. Und wenn eine Gruppe im Gespräch beieinander ist, und einer geht, verabschiedet der sich auch nicht. Beidem liegt die Annahme zugrunde, daß man ja sowieso immer zusammen ist. Gefährlich wird dieser Geborgenheit allenfalls der Streß der täglichen Tutorials, der wöchentlichen Essays und der scheinbar unaufhaltsamen anderen Aktivitäten. Die Ruderer sind schon vor 6 Uhr auf dem Fluß, zwischen entrückten Türmen und schemenhaften Bäumen. Thespische Proben finden fast zu jeder Zeit statt – im Durchschnitt gibt es jeden Abend eine studentische Theaterpremiere. Verwälzter Schlaf, der einen mit Hohn und Spott empfängt und auf sich selbst zurückwirft, gehört für viele zum Alltag. Dann scheint die Gleichförmigkeit der Tage an Gehässigkeit zu grenzen. Nervige Idylle. Als Gerüchte umgingen, die universitäre Telefon-

Beratungsstelle solle geschlossen werden, wurde an der Zahl der empörten Reaktionen deutlich, wie viele sie nutzen. Das Tempo der Stadt ist bemerkenswert, und es gehört zum Versuch, Selbstbewußtsein zu bewahren. Schnelle Schritte durch die Straßen machen wichtig, und mit den Jahren unauffällig. Ein weiter Mantel und ein Ziel. Überruderte Arme und vertanzte Füße. Eingelesene Augen und unruhiger Schlaf. Ein klarer, weiter Mittag kann vielen verborgen sein. Wer will schon bei Nieselregen promovieren. Das Wetter bringt einem ein nervöses Grinsen aufs Gesicht – Philip tritt durchnäßt durch die Tür des Pubs und schimpft: „Was für ein Elend!"

Dafür entschädigen Privilegien und Zeremonien. The Queen's College etwa besitzt das exklusive Recht, Schwan zu servieren; in Merton versammeln sich die Studenten alljährlich, wenn die Uhren zurückgestellt werden und laufen in der Nacht eine Stunde lang nur rückwärts. Das bringt der Universität den zweifelhaften Ruf ein, mit der „wirklichen Welt" nicht viel zu tun zu haben. Ein Wunderland, das eigenen Gesetzen folgt und seine Bewohner auf die Herausforderungen der Gegenwart nicht vorbereitet. Dieser mißmutigen Anschuldigung halte ich ebenso mißmutig die Gegenfrage entgegen, warum Absolventen später in jener angeblich so weit entfernten „wirklichen Welt" so erfolgreich sind – und das betrifft nicht nur diejenigen, die in Parlamente gewählt werden oder hohe und höchste Auszeichnungen erhalten, sondern auch die Tatsache, daß die Quote derer, die nicht unmittelbar nach dem Abschluß eine Arbeit finden, halb so hoch ist wie bei anderen Universitäten. The real world is where people have no life. Dann lieber etwas lebendige Irrealität. Das hält Philip nicht davon ab zu sagen, Oxford sei ein bißchen wie die Armee: Natürlich sei es gut, daß man da war, aber einen Beruf daraus zu machen, habe beinah etwas Unseriöses.

Colleges und Geisteswissenschaften haben ihre geistige Lufthoheit erst einmal behauptet. Auch künftig wird sich St John's einen „Keeper of the Groves", einen Hüter des Hains leisten, der die Aufsicht über die Gestaltung des Gartens führt. Auch künftig, so scheint es, wird die Universität nicht als Wirtschaftsunternehmen geführt, dem Gewinnmaximierung aufgegeben ist. Da hilft es nichts, wenn Modernisierer die oxonische Version des Glühbirnenwitzes aufwärmen:

„How many Oxford professors does it take to change a light bulb?"

Die Antwort darauf ist ein empört hochfahrendes: „Change?"

Fassaden zeigen, was man schon immer wußte, inszenieren das Spektakel der Herrschaft und bewahren die Unsichtbarkeit der Entscheidungen, und Bibliotheken (über hundert) belegen zugleich, daß doch immer noch etwas zu lernen ist.

Abends wird der Musician in Residence, ein weltbekannter Cellist, Bach spielen. Das Cello steht bereit und eine Landschaft ihm vor Augen. Das ist ein Spiel, das ist kein Spiel. Nur schöner noch zu sagen, wie es unverständlich ist. In der Pause treffen sich zwei einzelne Herren mit gleichem Weinglas. Zwischen Gruß und Kartentausch finde ich heraus, daß mein Gegenüber morgen nach Madrid zieht, und auch meine Zeit ist abgelaufen. Beide sind wir hier, weil Oxford irgendwie Heimat ist. Irgendwie. Stimmen und Wein und ein Turm, das verändert sich nicht. Oxford wird sich langsam entwickeln, und ein Ort bleiben, an den zurückzukehren es sich lohnt. Oxford ist noch immer unsterblich. Aber das heißt nicht, daß jeder, der hier lehrt oder studiert, immer hierbleiben muß. Universitäten sind Orte des Übergangs, alle vier Jahre sind sie doch wieder ganz anders, wenn eine ganz neue Studentengeneration sich eingelebt hat. Ich gehe daher mit dem Gefühl, daß es Zeit ist.

Bären und andere Wahrheiten
(Dick Davis)

1

Ein äthiopischer Taxifahrer bringt mich nach Upper Arlington, einem Vorort von Columbus, Ohio. Als ich aussteige, sehe ich zwei Frauen in der Haustür stehen, und ich höre noch, wie sie sich verabschieden.

„Laß uns am Samstag auf diesen Flohmarkt gehen."

„Aber wir sehen uns ja noch vorher, bei der Muslim Student Association."

Die eine ist die Frau des Dichters Dick Davis, dessen Lyrik ich zu übersetzen begonnen habe und den ich nun kennenlernen will. Die andere, Margaret, lächelt mich freundlich an. Durch die geöffnete Haustür sehe ich Teppiche und viele Pflanzen, die sich von Bücherregalen abheben. Dann kommt Dick. Nach einem langen Tag am Lehrstuhl für die Sprachen und Literaturen des Nahen Ostens begrüßt er mich herzlich, schweigend, und ich bin froh, nicht nur E-Mails zu bekommen, sondern ihm nun wirklich gegenüber zu stehen, die Hand zu schütteln. Er hat ergraute Haare, die über seine runde Brille fallen. Sie läßt den Blick neugierig scheinen, ohne ihn aufdringlich zu machen. Sein volles Gesicht ist gerötet. Margaret verabschiedet sich. Ich sehe ihr kurz nach, sehe die getrimmten Rasenflächen, die Einfamilienhäuser, deren jedes mindestens zwei Garagen hat. Es gibt keine Bürgersteige. Eichhörnchen und Basketballkörbe. Vor den Häusern hängt die amerikanische Flagge, und einige haben Banner angebracht: „Support Our Troops". Upper Arlington war einst „restricted area". Schwarze und Juden durften hier nicht wohnen. In manchen Verträgen steht das heute noch. Die Grundstücke gleichen einander, aber die Schulen sind gut, und so ist auch Dick Davis mit seiner persischen Frau und seinen zwei Töchtern, Mariam und Mehri, hierhergezogen.

Der Dichter wurde in England geboren. Nach seinem Universitätsabschluß begann er ein Wandererleben, durch Italien, Griechenland, nach Persien, Afghanistan und Indien. Die acht Jahre als Lehrer im Iran ragen heraus.

„Ich komme aus der unteren Mittelklasse. Niemand in meiner Familie und kaum jemand aus meiner Schule ist je zur Uni gegangen. Mein Englischlehrer riet mir, mich um die Aufnahme in Cambridge zu bewerben. Diese Jahre haben mein Leben in eine neue Bahn gelenkt. Sie haben mich gelehrt, neugierig zu sein. Ich versuche, alle Anzeichen von Abkapselung und fachidiotischer Einschränkung zu vermeiden."

Dick Davis begann ein Leben zwischen den Kulturen, zwischen den Sprachen. Er übersetzt aus dem Italienischen (Natalia Ginzburg) und dem Persischen. Die Epen des 11. und 12. Jahrhunderts sind sein Gebiet. Seine Übertragung von Attars *Konferenz der Vögel* ist ein Bestseller. Übersetzungen, sagt er, sind der Ursprung aller Erneuerungen in der englischen Dichtung. Die Bedeutung kulturellen Austauschs sei vom verengten Blick der Disziplinen nicht wahrgenommen worden. Von Chaucer bis Pound seien es Anregungen aus anderen Sprachen, deren Metren und Techniken gewesen, die zur Verjüngung der englischen Literatur geführt hätten. Davon wird sein nächstes Buch handeln. Das Übersetzen sei eine sehr gute Schule. Denn beim eigenen Schreiben könne man immer noch das verändern, was man sagen will, um im Zweifelsfall Metrum und Reim zu erreichen. Wenn Treue gegenüber einem Vorbild geboten sei, gehe das nicht. Ich lasse mir das eine stärkende Wegzehrung sein: Ich gehe als Übersetzer bei Dick Davis in die Schule, um Metren zu lernen, die ich in meinen eigenen Gedichten zur Sprache bringen will.

Die Spannung zwischen der enzyklopädischen Kenntnis der englischen Dichtung, die in unterschwelligen Andeutungen in Dick Davis' Zeilen gegenwärtig ist, und der persischen Tradition, deren Studium sein Brotberuf geworden ist, habe kürzlich ein Kollege zusammengefaßt: „Für die Orientalisten ist er der Dichter, für die Dichter der Orientalist."

Afkham bringt mich ins Haus. Wir trinken Tee und unterhalten uns darüber, welche Staatsangehörigkeiten sie und ihr Mann und ihre Kinder im Moment haben, welche wann dazukamen, welche sie vielleicht abgeben und welche beantragen werden. Sie hat in den Jahren, die beide in England verbrachten, den dortigen Akzent angenommen. „Pretty" spricht sie ganz präzis aus, als bestünde es aus vier Silben. Sie benutzt es nur als Adjektiv, nicht als Adverb. Diese ersten Worte sind mir, wie immer das Neue, Ungewohnte, besonders im Gedächtnis geblieben. Es sind die Veränderungen, die Momente des Übergangs in einen neuen Umkreis, eine neue Tonlage und Stimmung, in denen die Aufmerksamkeit gesteigert ist. Ich sitze dabei, weiß kaum, worum es wirklich geht, und gehöre schon dazu. Im Willkommen öffnet es sich. Aus solchen Augenblicken der neuen Zugewandtheit entstehen leichter Gedichte als aus dem Trott gleichförmiger Tage. Deshalb bin ich auf Reisen, denke ich mir. Und auch Dick Davis' Reisegedichte, die Gedichte vom unsteten Leben zeugen davon. Wenn ein Einfall, ein Satz einen Augenblick so kenntlich macht, daß auch seine Spuren und Wurzeln darin sind, wird dichterisch plötzlich Nahes erfahren.

Auf dem Tisch liegen viele Untersetzer. Gastlichkeit. Ein riesiger Margaritenstrauß. Auch Dick hat eine Tasse Tee, und bald nimmt er den Band mit den Gedichten von Auden zur Hand, der auf dem Tisch liegt. Er liest rasch ein paar Gedichte vor. Liest Zeilen über Amerika, den Krieg. Wer heute in Amerika Orientalist ist, bekommt die Zeitgeschichte um die Ohren geschlagen. Dick weiß das, aber er ist kein Aktivist. Er ist Dichter, und er liest Dichter. Ich sage, auch Dominique de Villepin, der französische Ministerpräsident, schreibe Gedichte.

„Ja", sagt Dick kurz angebunden, „und Milošević auch."

Man muß, denke ich, nicht nur Weisen des Sprechens lernen, sondern man muß auch etwas zu sagen haben. Dann liest er Audens Drittes Lied vor („Warm are the still and lucky miles"), und im Lauf der Zeilen scheint sein Gesicht mehr und mehr da zu sein. Die Dichtung gibt ihm Profil.

Dick Davis ist ein Außenseiter. Er reimt, sein Metrum ist kristallklar. Bedacht. Er ehrt die Sprache. „Wenn kein Metrum da ist, ist es keine Dichtung", sagt er. Im Regelmaß übertragen sich Empfindungen. Ihre Intensität teilt sich in klassischer Strenge mit. „Und man muß ein Gedicht verstehen können. Man muß wissen, worum es geht." Er bedauert den Abschied, den die Dichter der Moderne vom Leben genommen haben. Aber er beklagt ihn nicht. Er beklagt sich auch nicht darüber, daß ihm so wenig Zeit zum Schreiben bleibt.

„Man tut, was man kann", sagt er leise. „Mit jedem Gedicht versuche ich, es besser zu machen. Eine Erfahrung noch wahrhaftiger zu bewahren. Aber es gelingt nie ganz. Die Dichtung ist zu groß, zu weit über uns. Es bleibt immer ein Rest von Unehrlichkeit gegenüber dem, was ist, was war und was sein kann. Das muß so sein."

Er sagt es mit Mühe.

Wer zwischen den Sprachen lebt, seine eigene dem ständigen Druck einer anderen, doch nie ganz gemeisterten unterwirft, gewöhnt sich auch im Alltag daran, vieles nur unzureichend sagen zu können.

2

Als wir ins Auto steigen, um zu einem Café zu fahren, sieht er sich hastig um, sucht. Er findet eine CD mit Musik von Haydn, legt sie ein, dann schnallt er sich an. Die Symphonie mit dem Beinamen „Der Bär".

„Das ist die Wahrheit", meint er, gönnerhaft entspannt, und fährt los.

Haydn sei ein kluger Komponist, der leicht und verständlich für uns schreibe, geistreich und charmant zugleich. Heiterkeit ist ein Wort, das aus den geistigen Gesprächen der westlichen Welt beinah verschwunden ist – hier ist es wieder. Haydn kommt in seinen Gedichten vor, aber auch Wagner.

„Wagner ist ein Problem. Er war ein Wahnsinniger. Großartige Musik, aber er war ein Wahnsinniger. So kann man nicht leben." Auch die Musik muß im Einklang mit den Möglichkeiten sein, mit denen wir nun einmal auskommen müssen. Haydn ist licht. „Ich mag Klarheit."

Aber sie ist manchmal schwer zu behaupten. Und so mischen sich in die Wahrnehmungen von blendendem Licht, die in seinen Zeilen enthalten sind, immer wieder Ahnungen von Dämmerung und Zwielicht, in denen sich die Festigkeit des Sichtbaren auflöst.

„Als mein erstes Buch zum Lektor ging", erzählt Dick lächelnd, „sagte er, das sei ganz schön, aber das Wort ‚blurred' tauche dreißig Mal auf. Ich solle es doch bitte unter zwanzig schaffen."

Das Wort für verschwommen, unscharf gehört gleichwohl immer noch zu den häufig benutzten. Dick Davis betrachtet das Schreiben und Lesen von Dichtung als den Versuch, etwas in den Fokus zu bringen, den Blick auf und an etwas zu schärfen. Das gelingt nicht immer. Die Welt ist widerständig, und die eigene Empfänglichkeit oft ungenügend. Photographien kehren auch in den Gedichten wieder. Er selbst habe viele gemacht. Auch dies eine Möglichkeit des Bewahrens. Ich denke, wenn ein Wort wiederholt wird, immer wieder auftaucht, macht das doch nichts. Es kann ja das Richtige sein.

Kavafis habe ihm die Notwendigkeit eines solchen Bewahrens klargemacht. Augenblicke können ein Leben lang gegenwärtig bleiben. Manchmal verändern sie das Leben. Das heiße es bescheiden anzuerkennen, auch wenn niemand wissen könne, warum es so sei. Dick Davis hegt Mißtrauen gegen alle Gesten, mit denen jemand den unangreifbaren Besitz von ewigen Wahrheiten verkündet. Daher sei ihm Ansari so nah. Dieser persische Beter bescheide sich mit dem Suchen. Davis selbst denkt über den Glauben nach. Gnade und Schuld sind Kategorien, mit denen er sich vertraut machen will. Darüber zu sprechen, fällt ihm schwer.

„Das Übersetzen religiöser Dichtung ist da eine Art Ausweg. Es bietet die Chance, sich Einsichten zumindest anzunähern, die man sich selbst nicht auszusprechen traute."

Das gefalle ihm auch an der Geschichte vom Heiligen Christophorus so sehr: die geduldige Demut, durch die man der Wahrheit näherkomme. Gnade kann man erfahren, aber ihre Quelle nicht erklären. Die Angst vor dogmatischer Verhärtung, hinter der die Offenheit für Schönheit verlorengeht, steht Davis ins Gesicht geschrieben. Er wehrt sich auch gegen den Sog des Nachdenkens darüber. Das vermeintlich Übersinnliche verstöre ihn. Daher seine Ablehnung vieler romantischer Kunst. Sie sei so schwer zu leben, daß womöglich nur der Ausweg in den Katholizismus bleibe. Eine Möglichkeit, die er erwogen, im Gegensatz zu einigen deutschen Romantikern aber nicht verwirklicht hat. Ich wurde katholisch erzogen, bin dadurch wohl sehr geprägt. Der Katholizismus ist kosmopolitisch. Außerdem macht es mir Spaß zu sagen: Ich bin katholisch, aber mein Freund ist es nicht.

Dick hat wohl eher das zoroastrische Fundament der persischen Religiosität beeindruckt. In einem dualistischen Glauben ist der Mensch stets befangen in der Ambiguität von Gut und Böse. Die Folgen einer jeden Entscheidung sind nicht absehbar.

„Geloben wir glücklich zu sein" aus einem Gedicht von Stefan George kommt mir in den Sinn.

„Ja, man muß glücklich sein. Ich habe mir das erst zu spät erlaubt."

Und nun sagt er, es sei zu spät. Abgeklärt setzt er sich mit seiner Umgebung auseinander. Selbst wenn er provozierend sagt, er möge keine Leute, klingt im verständigen Charme noch das Einfühlungsvermögen mit, dessen er jeden würdigt.

Davis mißt Künstler, Intellektuelle und andere Menschen mit derselben Elle. Der frühere Chefdirigent des örtlichen Symphonieorchesters sei ein alberner Selbstdarsteller gewesen (außerdem war es den Musikern praktisch unmöglich, seinem Takt zu folgen, merkt der Metriker an). Die verständige Weisheit eines Sängers wie Hans Hotter dagegen bewundert er. Dazu könne man Zugang finden. Er habe einmal einen Roman geplant über ein Treffen von Marco Polo und Ibn Battuta, dem großen arabischen Reisenden, der etwa zur selben Zeit in Indien unterwegs war. Was ihn interessiert, ist, wie in allen Veränderungen und Verschiebungen die „conditio humana" unangreifbar bleibt. Über Niedergänge und Vermischungen, Eroberungen und Globalisierung hinweg dauern Momente von Zuneigung und Aufmerksamkeit, Begierde und Trauer, die Zeitzonen und Zeitalter entfernt wiedererkannt werden. Im Gedicht „Ibn Battuta" wird berichtet, wie

Er mit andern Reisenden in einer Karawane
An eine Stadt kam, und wie die Menge
Wiedersehensfroher und Verwandter
Sie willkommenhieß, sodaß einen jeden ein Gesicht
Empfing, das er kannte, nur ihn nicht,
Ibn Battuta, den niemand grüßte,
Denn er war fremd dort, und wie
Er dies verstand, und wie
Er weinte.
        Du schließt das Buch und behältst das Bild
Des jungen Mannes in den Zwanzigern, der weint –
Und nicht die Fürsten, Sklaven, Wracks –
Untilgbar im Gedächtnis
        bis du beinah fühlst,
Wie über die Jahrhunderte hinweg sich deine Hand
An seinen Arm legt, und du hörst,
Wie deine Stimme ihn begrüßt.

Hierauf gründe sich eine Gemeinschaft, die beständiger sei als politische und ethnische Parteiungen. Eine geistige Gemeinschaft, die täglich Mut gebe. Nicht jeder gehöre dazu, nicht jeder könne oder wolle dazugehören. Aber die Verpflichtung ihrer Mitglieder sei es, im täglichen Leben ihres Ortes, ihrer Umgebung verwurzelt zu sein, so als gehörten auch Familie und alle Bekannte ihr an. Als sein Credo betrachtet Davis den kurzen Text „What I believe" von E. M. Forster. Er zitiert daraus:

„Ich glaube an Adel, wenn dies das rechte Wort ist, und wenn ein Demokrat es verwenden darf. Nicht an einen Adel der Macht, der auf Rang und Einfluß beruht, sondern an einen Adel der Einfühlsamen, der Rücksichtsvollen und der Beherzten. Seine Mitglieder finden sich unter allen Völkern und Klassen, und in allen Lebensaltern, und ein geheimes Einverständnis besteht zwischen ihnen, wenn sie sich begegnen. Sie stehen für die wahre Überlieferung des Menschen, den einen, dauernden Sieg unserer eigenartigen Spezies über Grausamkeit und Chaos."

Dieses Einverständnis und die Liebe, die sich darin zeigt, seien Ziel und Grundlage geistigen Tuns. Daher schmerze es, wenn sie nicht erwidert werden. Aber auch diesem Gedanken, der allzu leicht in Verzweiflung abgleiten kann, gibt Davis nicht viel Raum. Er erwähnt statt dessen Plato: Wie nach diesem das Staunen der Ursprung der Philosophie sei, könne man sagen, daß Liebe der Ursprung der Dichtung sei. Liebe und Freundschaft sind im Gespräch präsent.

Noch einmal erinnert Davis an Forster, den er in Cambridge kurz kennengelernt hatte: „Wenn ich wählen muß, ob ich mein Land oder meinen Freund verraten sollte, habe ich hoffentlich den Mut, mein Land zu verraten."

Tue ich das als Reisender ohnehin? Wann war ich zum letzten Mal in Deutschland? Oder verrate ich dauernd meine Freunde, indem ich ständig woanders bin? Gewissensprüfung. Sie sei erst einmal vertagt.

Sensibilität, sagt Dick inzwischen, könne man lernen, einüben, Sensibilität für andere Menschen, für seine Freunde, für das Gespräch. Aber man müsse früh beginnen. Der Kontakt mit Literatur aus fremden Sprachen bedeute oft eine entscheidende Anregung für einen jungen Schriftsteller. Ich hatte gehofft, daß er das sagen würde.

„Und man braucht als junger Mann jemanden, der einem auf sanfte Art und Weise klarmacht, daß das bisher angesammelte Wissen und Verstehen wertvoll, aber gering ist."

Und damit hat er es für mich schon getan. Sein eigener Lehrer Tony Tanner in Cambridge sei ein solcher Lehrer gewesen. Er habe ihn auch im eigenen Schreiben bestärkt. Viele frühe Einflüsse scheinen sich durchzuhalten. In all der Veränderung wird Kontinuität sichtbar. Aber, so sagt Dick Davis, viele Auswahlprozesse, vieles Umschreiben, das früher auf dem Papier vorging, findet heute schon im Kopf statt. „Ich fange weniger Gedichte an, aber ich schreibe noch immer etwa sieben oder acht Gedichte im Jahr fertig, wie als Jugendlicher auch." Die Disziplin im Schreiben habe auch andere Folgen: Wer jahrzehntelang dem Rhythmus so genaue Aufmerksamkeit widmet, denke schließlich metrisch. Reime stellten sich viel leichter ein. In den gebändigten Ton fügten sich ausgefallene Worte und pointierte Einsichten. Sie teilten sich nicht selten in zeitlosen Formen mit: Sonett und die kunstvolle Villanelle stünden neben, oder zwischen, Epigramm und erzählendem Langgedicht.

Am Anfang eines Gedichts stehe oft eine Formulierung, ein Satz, irgendwo aufgeschnappt und gewaltsam gegenwärtig. „Wie ein Zahnschmerz trage ich ihn mit mir herum." Oft sei er beim Aufwachen da. Davis leidet unter krankhaften Schlafstörungen. Das habe sein Gutes, sagt er über das leidige Thema: Sonst hätte er nie die Zeit gehabt, einundzwanzig Bücher zu veröffentlichen. Es klingt in meinen Ohren fast so, als würde er manches davon für eine gesunde Nacht hergeben. Aus einem Alptraum ist das lange Gedicht „A Translator's Nightmare" entstanden. Ein Übersetzer begegnet im Limbus den Dichtern, die er übertragen hat und die ihm nun all die Freiheiten vorhalten, die er sich genommen hatte. Als er ihnen mit Mühe entflieht, halten ihn diejenigen auf, die er nicht übersetzt hat, und beschuldigen ihn der Ignoranz.

3

Vom Persönlichen handeln Davis' Gedichte, von der vertrauten Umarmung, der Liebe und der Begierde, von Sterben und Krankheit, Angst und Unstetigkeit, und oft geht er zurück in der Geschichte, um die bleibende Bedeutung scheinbar vergessener Momente aufzuzeigen. Die Dichtung von Dick Davis ist dicht bevölkert. Widmungsträger hatten einige Zeilen inspiriert; Figuren der westlichen und der orientalischen Geistesgeschichte, Schahs und Reisende, Komponisten und Maler geben sich ein Stelldichein. Sie treffen sich, sind da. Als seien sie eingeladen und tränken Tee mit uns, stellten ihre Tassen auf Afkhams grell-gelbe Untersetzer. Augenblicke interessieren ihn: als der Lehrling Mirak seinen Meister übertrifft; als Haydns gestreßte Musiker Urlaub haben wollen. Und auch das, was im Deutschen so wunderbar doppelsinnig Herzenssachen heißt: Dinge, die mehr als Dinge sind. Ein Musikinstrument, das Abzugsglas einer Öllampe, eine Münze. Als ich nach Anspielungen darauf in den Gedichten frage, holt Dick sie hervor. Die byzantinische Münze hängt um seinen Hals, die Öllampe steht auf einem kleinen Tisch. Die Theorbe liegt in den Armen einer jungen Frau auf einem Gemälde, das wir am nächsten Tag im Columbus Art Museum ansehen. Die scheue Neugier ihres Blicks, die Ruhe, das Drückende des großen Instruments. Eine Zeitlang sei er jeden Tag zu der Dame gegangen. So steht es auch in ihrem Gedicht. Dann zeigt er mir in einem anderen Saal die Photos eines kubanischen Künstlers, der vor allem Katzen ablichtete. Sie schneiden Grimassen, verstecken sich in einer Schublade. Und auf einem großformatigen Bild ist ein Hund mit angehobener Vorderpfote, die sich auf eine winzige Ameise senken wird. Irritierende Gleichzeitigkeit von Unvereinbarem. Dick lacht. Das Bild eines Kindes, dessen Körper von Windpocken übersät ist. Es liegt in der Badewanne, und das schöne Auge der Kamera zeigt uns die Gliedmaßen halb unter Wasser, fast wie eine gezeichnete Ophelia. Erschrecken.

Warum ist Dick so gesprächig? Er hat viel zu sagen, und er sagt es mir. Mir fällt das erst nach einer Weile auf. Ich stelle eine Frage, und er findet sie persönlich. Er zögert, und sagt, „Well, I might as well tell you." Und erzählt – sieht er mich als Mitreisenden? Aus seiner Zeit in Indien (einer viermonatigen Rucksackreise, die zugleich Hochzeitsreise war) erinnert Dick Davis eine Begegnung, die die Kraft von Gesten unterstreicht. In der Stadt Amritsar habe er, mehr durch Zufall, jenen Park gefunden, in dem 1919 viele tausend Inder friedlich gegen die britischen Kolonialherren demonstrierten. Deren Truppen umzingelten die Kundgebung und eröffneten das Feuer. Vierhundert Menschen wurden getötet. Zu ihrem Gedächtnis ist ein schwarzer Gedenkstein errichtet, der dem englischen Besucher die Verantwortung verdeutlichte, in der er durch seine Herkunft stand.

„Der Moment der Betrachtung und des Nachdenkens inmitten spielender Kinder, lesender und diskutierender Einheimischer wurde jäh unterbrochen, als jemand seine Hand auf meine Schulter legte." Davis erzählt konzentriert, präzise. „Ich dachte, es sei Afkham, drehte mich um und sah einen Jungen, der offenbar wahrgenommen hatte, wie verstört ich angesichts des Anblicks war. ,Never mind', sagte er zu mir, ,That's all in the past.' Den Trost, die Gewalt der Geschichte durch den Mut einer solchen Handlung angehen zu können, hat einen tiefen Eindruck auf mich gemacht."

Wir fahren, ohne Haydn, weiter, durch Suburbia, biegen um eine Kreuzung in Suburbia, in eine Straße ein in Suburbia, wo eine Freundin wohnt. Eine Deutsche, die über deutsche Reisende in Afrika arbeitet und dies an der Ohio State University lehrt. Viele von Davis' Freunden leben „auf der Brücke" zwischen Kulturen.

„Wir passen nirgendwo hinein, aber wir passen gut dazwischen. Wir sind eine eigene kleine Bevölkerung", gibt er zu.

Dann erzählt sie die Geschichte von Parcival und seinem schwarzweiß gescheckten Halbbruder Feirefiz. Erst als die beiden sich finden, kann Parcival zum Gral gelangen. Dick hört angespannt zu. Sein Bruder hat sich mit 19 Jahren das Leben genommen. Das ist lange her, aber sein Schatten ist stets da. Die Geschichte von der Bedeutung von Geschwisterschaft, zumal angesichts ihres Aufenthalts irgendwo zwischen abgesteckten Herrschaftsbereichen, fängt sofort seine Aufmerksamkeit. Vielleicht schreibt er bald ein Gedicht darüber.

Zum Abschied sprechen wir vom Reisen. Ich erzähle ihm davon, daß es mich beunruhigt, wie oft ich meine Freunde schon zurückgelassen habe. Ich reise immer weiter und bin immer am falschen Ort. Dick Davis muß es doch ähnlich gehen?

„Manchmal denke ich, mein Leben als Reisender ist vorbei."

Er sagt, er habe noch nie so lang in einem Haus gelebt wie in seinem derzeitigen. In seiner Familie, seiner Arbeit, Abenden mit Wein und Musik ist er fast aufgegangen. Columbus als ein Platz neuer Ruhe? Vielleicht. Denn nicht die ganze Stadt ist so uniform wie Upper Arlington. Columbus liegt an der alten Nationalstraße, der ersten Autobahn des Landes. Sie ist ein bißchen wie eine Strandlinie, an die aus allen Richtungen Menschen und Stile schwappen. Blues und Irisches, das Zupackende der Farmer des Mittleren Westens und das afrikanische Erbe aus dem Süden, die reichen Versicherungsagenten, tausende Akademiker aller Disziplinen. Dialekte. Davis bereist die Vereinigten Staaten gern. Und er liebt es, Beziehungen herzustellen.

„Salt Lake City", sagt er verschmitzt, „ist die amerikanische Version von Teheran. Es ist die Stadt der Mormonen, die Bevölkerung ist recht einheitlich gekleidet, es gibt keinen Alkohol, und die Stadt wird von einem ebenso pittoresken wie ehrfurchtgebietenden Berg überragt, an dessen Hängen der wohlhabende Teil der Bevölkerung lebt."

Aber man merkt ihm die Unruhe an. Es ist nicht mehr der Reisetrieb, aber noch immer die kleine Entfernung, aus der überraschende Beobachtungen entstehen. Im Iran veränderte er sich, übernahm Grußformeln, Eßgewohnheiten, Kleidungsvorschriften. In den USA, sagt er, interessiert man sowieso niemanden. Davon zeugen die Gedichte, die Dick Davis tastend und überzeugend schreibt: Vom Raum, den man hat, ein Fremder zu sein.

Shaw, Kokopuff
(Robert B. Shaw)

So schlecht vorbereitet bin ich noch nie losgeflogen. Daß ich den Dichter Robert B. Shaw besuchen will, hämmere ich mir am Ende einer anstrengenden Woche ins Bewußtsein. Aber als mir gezeigt wird, wie ich mir die Schwimmweste umschnalle, weiß ich nicht einmal, wie die Stadt heißt, in der sich sein College befindet, oder der Flughafen, oder in welchem Bundesstaat das alles liegt. Bradley International – ist Bradley ein Ort? „Hartford Springfield" stand hinter dem Code (BDL). Ist das eine Stadt? Zwei Städte? Windsor Locks? Florence? Hauchhafte Erinnerungen, die sich an E-Mails knüpfen. Massachusetts? Connecticut? Er hat mich eingeladen, ihn zu besuchen, zu Hause. Er unterrichtet am Mount Holyoke College.

Vor mir auf dem Klapptisch steht ein beinah leerer brauner Pappbecher. Den durchsichtigen Wasserbecher habe ich, um das Einsammeln zu erleichtern, hineingestellt, sodaß er auf dem wirkungslosen Kaffeerest hin und her schwebt. Als wir gelandet sind und ich den Fahrer, der mich abholt, frage, erklärt er mir das Nötigste zur Geographie. Bis ich bemerke, daß ich auch die Adresse von Shaws Haus nicht greifbar habe. Der Fahrer hat nicht danach gefragt, er wird sie wohl haben. Je mehr ich reise, desto weniger kann ich es. Denn mit jeder neuen Reise wird das Reisen selbst Aufenthalt. Ich steige ins Flugzeug, um etwas zu tun zu haben, und vergesse mein Handtuch oder eine Adresse oder den Stadtplan, weil ja doch alles beschafft werden kann oder immer schon da ist, genau wie ich eigentlich selbst (denke ich, als diese graue Autobahn in Massachusetts unter mir durchzieht) immer schon da bin. Schritte können durch Status Updates und andere regelmäßige Positionsmeldungen verfolgt und durch Fotos und Notizen, die ohnehin online auftauchen, nachverfolgt werden, durch Google Earth und Flickr konstruiert. Das Anhalten wird zur eigentlichen Reise.

Inzwischen wohne ich in den Vereinigten Staaten, aber darauf kommt es schon gar nicht mehr an. Die Reise zu Robert Shaw wird von meinem Institut bezahlt, eine Forschungsreise. Meine Bewegungen zeichnen sich auf den Kreditkartenabrechnungen anderer Leute ab. Bei meinen Eltern in Wiesbaden sammeln sich die Weinflaschen, die ich von meinen Airmiles kaufe.

Die Gegend ist auch nicht für ihre urbanen Zentren bekannt – Boston ist etwa zwei Autostunden entfernt und wird mit gemischten Gefühlen betrachtet. Einige beharren darauf, daß Kultur und Kosmopolitisches auch in der akademischen Atmosphäre der Colleges zu haben sind, ohne das, was sie als die Unannehmlichkeiten einer Riesenstadt empfinden. Wer im pastoralen Westen von Massachusetts verwurzelt ist, hat gern das Gefühl, daß seine Steuergelder in der Großstadt verschleudert werden, und beschwert sich. Andere, besonders die, die keine Familie haben, machen sich gar keine Gedanken, sondern gehen einfach nach Boston, sooft sie können. Oder nach New York, das kaum weiter entfernt ist. Zwei Stunden Fahrt, erinnere ich mich, sind vielen Amerikanern noch nicht einmal unter der Woche für den Besuch eines guten Restaurants zu weit.

Die Topographie im Tal der Fünf Colleges wird durch Schriftsteller geprägt. Sylvia Plath besuchte Smith College (Ort ihres ersten Selbstmordversuchs), und die eigensinnige Ikone unter den amerikanischen Autorinnen des 19. Jahrhunderts, Emily Dickinson, verbrachte einige Zeit in Mount Holyoke. Das Haus ihrer Familie ist eine behutsam geführte Touristenattraktion mit einladendem Garten. Engelsgleich steht Emilys Kleid auf dem oberen Treppenabsatz und begrüßt den Besucher. Am Ende der Besichtigung gibt mir die Kuratorin ein eingeschweißtes Blatt in die Hand und fordert mich auf, das dort abgedruckte Gedicht vorzulesen – mir und ihr, in Emilys Schlafzimmer. Aus dem gemeinsamen Lesen entspringt Konzentration, es fordert Aufmerksamkeit, ist ein reinigendes Erlebnis. Besonders schön, daß es so unerwartet begann.

Zu den Dozenten in Mount Holyoke gehörte der exilierte russische Nobelpreisträger Josef Brodsky, der das College als seine Basis benutzte und selten außerhalb der Unterrichtszeit dort zu sehen war. Seine Erinnerungen an Petersburg, Byzanz und Venedig gehören zu meinen liebsten Lektüren. Wohl unter dem Eindruck seiner Erfahrungen in einem totalitären Staat lehnte er sich gegen alles auf, was nach Autorität aussah – der Stapel der mit der Post eintreffenden Strafzettel für Falschparken und zu schnelles Fahren erreichte eine gefährliche Höhe, und im Unterricht liebte er es, seine oft puritanischen Studentinnen zu provozieren, indem er sich eine Zigarette nach der anderen ansteckte.

Fünf Jahrzehnte lang unterrichtete an Mount Holyoke der Dichter und exzentrische politische Theoretiker Peter Viereck, der schon in jungen Jahren durch seine Studie *Metapolitik: Von Wagner bis Hitler* auf sich aufmerksam machte. Für sein dichterisches Werk gewann er den Pulitzer-Preis, noch bevor er seinen Lesern die richtig harten Nüsse vorsetzte: weitschweifige, komplexe, metaphysische Langgedichte. Hartnäckig halten sich Gerüchte, daß sein Vater, George Viereck, ein illegitimer Nachkomme von Kaiser Wilhelm I. war. George Viereck war jedenfalls die Speerspitze der amerikanischen Nazi-Sympathisanten im Zweiten Weltkrieg, wofür er fünf Jahre lang im Gefängnis saß. Nach seiner Freilassung veröffentlichte er Memoiren, die durch Umschlagillustration und Klappentext einen zweifelhaften Ruhm erwarben – der Verlag stellte homosexuelle Vergewaltigungen in den Vordergrund, die George Viereck mit angesehen hatte und beschrieb. Mit dem *Haus der Vampire* hatte er bereits 1907 einen schwulen Klassiker geschrieben – wohl die erste homosexuelle Gruselgeschichte.

2

All dies erzählt mir Robert Shaw mit einem diebischen Vergnügen, vor dem es ihm selbst unheimlich ist. „Komisch! Komisch!" sei das alles, sagt er, und seine Stimme überschlägt sich. Es ist, als wolle er hinter seinem Siebentage-Bart und den riesigen Brillengläsern vor solchen Verwerflichkeiten Schutz suchen. Fast in dieselbe Kategorie gehört wohl (das schließe ich aus einem ähnlichen, schüttelnden Unbehagen), daß ich ihn am Nachmittag auf einen Kaffee einladen will. Wir gehen zu Starbucks. Robert Shaw bestellt einen entkoffeinierten doppelten Espresso, der durch meinen tall Coffee beinah brüsk in den Schatten gestellt wird.

Hier ist er nicht zu Hause, das wird gleich deutlich, und als wir zurück an seinem eigenen Küchentisch sind, ist auch offensichtlich, warum das so ist. Über unsere Teetassen sehe ich durch hohe Fenster auf Eichhörnchen, Vogelhäuschen und den Wald. Eine Idylle – nicht wie aus einer Zeitschrift, sondern erfüllt von behaglicher Gegenwart. Selbst die umgestürzte Vogeltränke paßt ins Bild: Es war „der Bär". Was für mich die Nachricht des Jahres ist (ein Bär!), wird vom Hausherrn nur mißmutig zur Kenntnis genommen. Er sieht auf die Bäume, und ich suche den Apfelbaum, der in seinem Gedicht „Back Again" steht:

> *Den kahlen Apfelbaum*
> *Versägten wir zum Stumpf,*
> *Doch er gefällt sich kaum,*
> *So als ein kahler Rumpf.*
> *Er zeugte einen Wulst*
> *Aus schlanken, dünnen Zweigen,*
> *Verwachsen, ungekämmt,*
> *Ein Zauberstab ein jeder,*
> *Wodurch die Wurzeln zeigen,*
> *Daß unser Tun sie hemmt,*

Doch daß sie solche Hürden
Im Frühling nehmen würden
Wie jeden starken Wind –
Das läßt sich überwinden.

Aber ich finde ihn nicht. Robert Shaw beobachtet derweil die Vögel. Er macht eine Bemerkung über den Specht, wohl eine witzige, er lacht stockend, aber ich verstehe es nicht. Als Stadtkind weiß ich zu wenig über Vögel. Da stolziert Kokopuff zu uns, als zeige sich der wahre Gastgeber. Von nun an beansprucht der Kater unsere ganze Aufmerksamkeit. Ich erfahre, daß das Tier Asthmatiker ist und einmal künstlich beatmet werden mußte.

„Er lag in einem Glaskasten, in den Sauerstoff gepumpt wurde. – – – Quasi eine umgekehrte Gaskammer."

Robert Shaw erzählt mit sachlicher Stimme, lacht wieder, stockend. Beim Tierarzt wurde später ausgerufen: „Shaw, Kokopuff", wie es auf dem Rezept stand. Die anderen Wartenden drehten sich erstaunt um, wer denn hier gemeint sei.

Ich bin schlecht vorbereitet. Ich hätte ihm vielleicht vorher Fragen schicken sollen. Immerhin sitzt hier ein Student von Robert Fitzgerald vor mir, von Robert Lowell, und ein Freund des vor einigen Jahren verstorbenen Dichters Edgar Bowers. Alles, was ich fragen kann, ist, wie denn Bowers gewesen sei, und alles, was ich zur Antwort bekomme, ist: „nett, normal". Robert Shaw rutscht auf seinem Sessel hin und her. Das Übermaß höflicher Fragen, die eine Unterhaltung erst ermöglichen, dann ein Gespräch verhindern, dann ins Groteske umkippen.

Wir gehen zu seiner Bücherwand. Hier sind die Dichter. Robert Shaw beginnt, angeregter zu erzählen, als flösse ihm aus der versammelten Substanz Energie zu. Brad Leithauser und Mary Jo Salter sind vertreten, beide Dichter, er ein Ritter des isländischen Falkenordens, sie eine frühere Redakteurin des Monatsmagazin *The Atlantic*, beide Dozenten an Mount Holyoke. Whitman ist da; Shaw gibt mit entwaffnender Ehrlichkeit zu Protokoll, daß er vor allem an kurzen, introspektiven Gedichten interessiert sei. Nach einem solchen hat er allerdings bei Whitman sicher lange gesucht. Shaws metrisch schreibende Kollegen sehen im freirhythmischen Whitman den Erzfeind und einen unverbesserlich selbstsüchtigen Schwafler. Shaw sagt mehrfach, daß das Metrum für ihn kein Dogma sei. Die meisten seiner Gedichte sind gereimt; damit mußte ich mich erst anfreunden. Meiner Meinung nach funktionieren Reime besonders dann, wenn die gereimten Zeilen unterschiedlich lang sind. Warum das so sei? Das weiß ich auch nicht recht, ich habe es nicht praktisch erprobt.

Shaw schnappt zu: „Na, dann mußt du darüber nochmal nachdenken."

Es war auch eine ungeschickte Bemerkung, denn sie unterstellte, daß Shaws Gedichte nicht wirklich funktionieren – deren Zeilen sind stets gleich lang.

Robert Shaw studierte ein Jahr lang Theologie. Ich frage ihn, ob sich biblische Motive oder Haltungen in seinem Schaffen niedergeschlagen haben. Er überlegt, verneint, vermutet aber, daß er Phrasierungen übernommen hat. Sein Studium damals habe er rein aus Neugier aufgenommen. Die Rockefeller-Stipendien ermöglichten es Menschen ohne direkte fachliche Vorbildung, eine gewisse Zeit ein Fach auszuprobieren. Das liege aber inzwischen Jahrzehnte zurück. Selbst in seinem Unterricht spiele Religiöses kaum eine Rolle. Ein Kurs etwa über „Die Bibel und die literarische Moderne" würde, so vermutet er, nur Studentinnen mit vorgefaßten Meinungen anziehen.

Robert Shaws Frau Hilary kommt, mit einer Kiste in der Hand. Die Tochter wohnt in South Carolina und studiert Mode. Kürzlich hat sie in Boston in einem Second-hand-Laden zugeschlagen. Vorauseilende Hüte und aufdringliche John-Travolta-Hemden liegen nun hier, und die Eltern besehen sie, als seien es fremdartige Insekten. Dann sieht Hilary die Teetassen, die wir auf einem kleinen Tisch in der Bibliothek abgestellt haben.

„Das ist wirklich mein Laster", sagt Robert Shaw seltsam verlegen.

3

Wir beschließen eine Exkursion an den Quabbin-Stausee, dem
Shaw einen Zyklus gewidmet hat. Auf dem Weg zum Auto zeigt
er mir noch im Wintergarten seinen Selenicereus, eine nachtblü-
hende Kaktee, deren Schönheit Generationen romantischer Be-
obachter inspiriert hat. Harriet Monroe widmete ihr ein ekstati-
sches Gedicht. Sie hat bei Shaws allerdings noch nie geblüht, ganz
im Gegensatz zu den dichterischen Pflanzen (wie Robert Shaw
erläutert): Lorbeer und Oliven. Beim Gang in die Garage kommen wir im Keller an einer dunklen Ecke vorbei. Noch ein Laster,
sagt er, drucksend. Leichen im Keller. Regale voller Krimis! Was
sei nur davon zu halten. Aber auch sie seien dichterisch wertvoll:
In einem stand unvermittelt eine Abhandlung darüber, was gute
Reime seien. Von dem Moment an habe er, sagt Robert Shaw, die
Verbindung mit der Handlung verloren und nur noch dieser Pas-
sage nachgesonnen.

Der Quabbin ist ein hundert Quadratkilometer großer Stausee,
der Boston und die benachbarten Städte mit Frischwasser versorgt.
Er wurde in den Dreißigern angelegt, als Arbeitsbeschaffungs-
maßnahme während der Wirtschaftskrise. Es beginnt zu schneien,
als wir einen Aussichtsturm hinaufsteigen. Nein, das Regionale sei
kein Projekt, sagt Robert Shaw, der in Neuengland geboren und
aufgewachsen ist, hier studiert hat und hier unterrichtet. Aber
die Form des dokumentarischen Gedichts reize ihn. Vier Dörfer
wurden durch den Dammbau unbewohnbar. In die Wände des
Turms sind Graffiti eingeritzt. Eines lautet harsch: I can't bring
myself to care about you. Shaws Gedichte sind das Gegenteil, sie
sind Anteilnahme im Wort, stellen dar, wie die Bewohner mit ihrer veränderten Lage klarkamen – die Gegend war ohnehin im
wirtschaftlichen Niedergang, und viele waren nicht allzu betrübt
darüber, daß sie von Neuem anfangen mußten. In den Gedichten
sind sogar Kostenaufstellungen für versteigerte Möbel aufgenommen. Andere Gedichte von Robert Shaw haben einen häuslichen
Ton, bescheiden, sorgfältig. Ob Widmungen eine Rolle spielen?

„Kaum. Es ist schwer, an Menschen zu denken und dann Persönliches und Dichterisches auseinanderzuhalten. Oder zusammenzubringen."

Mich überraschen beide Teile der Antwort: Warum würde man Persönliches und Dichterisches auseinanderhalten wollen? Und warum würde man ihre Verbindung als etwas abtun, worüber nachzudenken sich nicht wirklich lohnt? Ich halte mich zurück. Denn meine Überraschung rührt nur daher, daß ich Robert Shaw nicht gut genug kenne. Ich darf nicht von Prinzipien ausgehen, sondern muß seine Sprache verstehen lernen.

Zurück in BDL regnet es in Strömen, und es stürmt. Der Flug am Nebengate wird abgesagt; alleinreisende Herren in dunklen Anzügen telefonieren sich ein Hotelzimmer. Mein Flug ist verspätet. Auch als wir schon an Bord sitzen, verzögert sich der Abflug, um eine Viertelstunde, eine halbe Stunde. Der Pilot sagt durch, daß Start und Landung unserer winzigen Embraer-Maschine nicht glatt verlaufen werden. Nach einer Weile sehe ich durch das verschlierte Fenster den Tankwagen wieder anfahren. „Das Wetter hat sich verbessert. Wir pumpen das Extra-Kerosin wieder ab, das wir für Notfälle getankt haben. Dafür haben wir dann Platz für Ihr Gepäck."

Chlor

(New York / Joshua Mehigan)

1

New York war beim Anflug in mein Fenster gerückt und gleich wieder daraus verschwunden. Auf dem Flughafen bin ich mir, übernächtigt, gar nicht so sicher, ob ich mein Ziel wirklich erreicht habe. In der Untergrundbahn suche ich festen Halt. Die mehrsprachigen Werbeflächen, auf denen kostengünstige Operationen beworben werden, fahren mit mir mit. Vor der Station, die mir ein routinierter Concierge am Telefon genannt hat, blitzen einige Male Bilder auf. Gekachelte Bahnsteige. Ich erinnere mich an die Bilder römischer Bäder in meinem alten Lateinbuch. Caldarium, Frigidarium, denke ich. In der U-Bahn mache ich mich beiden Menschen, die hier unten verkehren, gemein – den Touristen durch den andauernden Blick auf den Liniennetzplan, den Einheimischen durch ergebene Geduld und vielleicht etwas belauschte Ironie: Zwei sich überlappende Fahrgäste stellen übereinstimmend fest, auf ihren Sitzen habe eigentlich nur Kate Moss Platz – die wahrscheinlich niemals mit dem auf sie zugeschnittenen Verkehrsmittel fahren werde. Wieder in New York. Bevor ich den Dichter Joshua Mehigan treffe, habe ich Zeit einzuchecken, und mich etwas umzusehen.

Die Lobby meines Hotels wird eingefaßt von einem langen Bücherregal. Unter einem silbern bemalten Geweih-Kronleuchter stehen Tischchen, so fragil, daß man nur ein Martini-Glas daraufstellen will, das nach oben wegzustreben schiene. Die Aufzugtüren schließen sich sofort, und in den zehnten Stock dauert die Fahrt nur Sekunden.

Aus braunem Leder ist der Rücken des Bettes, und auf dessen beiden Seiten sind große goldene Schnallen angebracht. An der Wand entlang führt eine dick gepolsterte schwarze Sitzbank mit roten und schwarzen Kissen, die so fest sind, daß sie kaum nachgeben, wenn ich mich dagegen lehne. Die Klassik-Auswahl im Zimmer-System beginnt mit späten Streichquartetten von Beethoven. Meine mitgebrachte braune Anzughose und das rotbraun und violett gestreifte Hemd passen zum Holz des Schranks. Immer schön, wenn Dinge zueinander passen, die es nicht müssen. Der schwarze und silberne Schirm und mein Notizbuch.

Die Tür zum Bad ist ein dünner Holzrahmen um Milchglasscheiben. Vor dem Spiegel am Waschtisch liegt Seife mit Gurkenessenz. Es gibt Spiegel, in denen man besser aussieht als in anderen. Liegt das daran, daß sie geputzt sind, oder daß sie eine bestimmte Form haben? Wahrscheinlich liegt es einfach daran, daß man sich verändert. Oder anders anzieht. Heute habe ich ein weißes Hemd mit blauen Streifen an, und meine Augen sind blau. Grau, sagt mein Freund. Naja. Dieser Spiegel hier ist von einem grellen Licht rechteckig umrahmt, das sich in meinen Pupillen spiegelt und sie rechteckig wirken läßt.

Als ich das letzte Mal in der Stadt war und im Hyatt auf der 42. Straße wohnte, spielte in der Lobby ein kleiner Junge auf dem Flügel den „Fröhlichen Landmann" von Schumann. Er löste bei seinen Eltern ein rhythmisches Klatschen aus, das aber gegen die Chlorspiele nicht ankam. Ein lärmendes Wasserspiel verbreitete seinen selbstbewußt-ungastlichen Chlorgeruch. Es war derselbe Chlorgeruch, den die Wasserspiele vor dem World Trade Center versprühten, woraus ich schloß, daß Sauerstoff nur des gemeinen Mannes Lebenselement ist, während sich alles Bedeutsame an das Chlor hält. Die Installation am WTC bestand aus einer Kugel, deren Abbild die Welt sein mußte. Sie war ganz rund, glänzte, wurde von Wasser umflossen und roch nach Chlor. Darum herum lagen die fünf Boroughs und dann die fünf Kontinente.

Im Erdgeschoß des einen Turms waren die Flaggen der Staaten der Welt gehißt. Noch immer kannte ich fast alle, mit Ausnahme einiger der ehemals sowjetischen Republiken, die unabhängig wurden, nachdem ich aufs Gymnasium kam und keine Zeichenblöcke mehr mit Fahnen vollmalte. In der Nähe des Berliner S-Bahnhofs Friedrichstraße fiel mir einmal die Flagge an einem Gebäude auf, die ich wahrscheinlich auch als Kind nicht erkannt hätte. Sie hing vor einem der Fenster des Konsulats von St. Kitts and Nevis. Ich mußte auf das Türschild sehen, um es herauszufinden. Dort hatte ich eine Diskussion über die Fahne von Benin. Ich wollte argumentieren, daß der Heineken-Stern darauf zu sehen sei, hatte aber verloren, weil ich nicht wußte, daß Benin, nachdem es nach meiner Schulzeit den Marxismus-Leninismus als Staatsideologie abgeschafft hatte, seine Fahne geändert hatte. Fahnen zeigen am Grenzübergang, daß man in einen anderen Hoheitsbereich übergetreten ist. Auf T-Shirts sind sie wie Stempel im Paß Belege für einen Aufenthalt. Neben den nationalen Symbolen steht die blau-weiß-orangene von Visa, der Nationalbank des Reisenden. Meine singapurische, auf die meine Freunde „Selamat Jalan" geschrieben haben, hängt immer in meiner jeweiligen Wohnung. Mehrmals wurde ich schon erstaunt gefragt, warum ich eine türkische Fahne aufhänge.

Im World Trade Center waren selbst Nationen, die sich jeder politischen Organisation entledigt oder sich dem Welthandel konsequent verweigert hatten, mit ihren Fahnen gleichmütig und glanzvoll vertreten. Zwischen dem Glas und dem Stahl an Wüsten und an Landminen zu denken, schien damals unangemessen. Ground Zero ist heute von hohen Gittern umgeben, durch die der Blick in einen schwarzen Himmel steigt. Obwohl die Stabilisierung der Fundamente begonnen ist, riecht es bei Regen immer noch – wie auf einer Nebenstraße in Yangon – nach Matsch und Schlamm. Was nach dem Einsturz der Tower übrig blieb.

Eines der unheimlichen Zeugnisse des 11. September ist eine lebensgroße Statue des New Yorker Künstlers Michael Richards. In Anspielung auf den Heiligen Sebastian zeigt sie ihn selbst durchbohrt, allerdings nicht von Pfeilen, sondern von Flugzeugen. Richards' Atelier befand sich im 92. Stock des World Trade Centers. Er war zur Zeit der Anschläge bei der Arbeit und überlebte nicht. Die wenige Jahre zuvor geschaffene Plastik galt als verschollen, tauchte aber im Jahre 2003 wieder auf. Sie steht heute im North Carolina Museum of Art in Raleigh.

2

Im Museum of Modern Art. Francis Bacons „Study of a Baboon" zeigt einen Pavian, der sich auf einem Baum in den Himmel reckt, von dem ihn aber ein schwarzer Zaun abhält. Das Gemälde stammt aus dem Zweiten Weltkrieg. Von hier aus gehe ich zur Nachkriegszeit. Wo Konzeptkunst ist, zumal in New York, sind die Besucher schöner als die Kunst. Entsprechend macht es auch nichts, wenn sich jemand zwischen mich und das Kunstwerk schiebt. Die meisten Besucher sind schließlich, jedenfalls ihrer Meinung nach, ohnehin noch wichtiger als die ausgestellten Werke. Manche photographieren, zum Beispiel die technisch reproduzierbare Marilyn Monroe, andere einfach ihre Freundin – oder beide auf einem Bild. Zum Vergleich, vielleicht.

Zur Pause in einem der Museums-Cafés nehme ich mir einen Chicorée-Salat und eine Flasche Wasser vom Buffet, ohne groß nachzudenken. Eine agile Dame gratuliert mir. Das sei in der Tat ein gesundes Mahl, viel besser als ein Muffin. Das heißt, an jedem anderen Nachmittag würde sie mich abkanzeln, wenn sie nämlich meinen geliebten Muffin sehen würde. Ich sage, manche Tage seien Zucker-Tage, andere seien es nicht.

„Heute haben Sie es richtig gemacht", unterstreicht sie resolut ihre Position.

Die Fitness-Welle rollt, parallel zur für Europäer ungewohnten Religiosität. Beides läßt sich verbinden: Yoga = Gym + Church, titelte neulich eine Zeitschrift. Habe leider vergessen welche. Wenige hundert Meter voneinander entfernt finden sich auf der 125th Street ein überdimensionales Poster aus der Werbekampagne von Nike, „The Second Coming" – das aber nicht die Wiederkunft

Christi zeigt, sondern eine Reihe bekannter Basketballer – und ein schäbig aussehendes Gebäude mit der Aufschrift „United House of Prayer for all People". Es gehört einer Pfingstgemeinde.

Wenn ich allein unterwegs bin, merke ich nicht, wie wenig ich eigentlich rede. Das ist mir erst aufgefallen, als ich Viscontis „Tod in Venedig" gesehen habe, in dem ja fast gar nicht gesprochen wird, eben weil Aschenbach allein reist und Tadzio auch nicht wirklich etwas zu sagen hat. An meinem Salat kauend lege ich mein Notizbuch vor mich und überlege: Was sind die Dinge, die ich verloren habe? Kleines Requiem für Dinge, die ich auf Reisen aufgenommen habe und auch wieder losgeworden bin:

Die schwarze Umhängetasche aus Luang Prabang, mit der schematischen Zeichnung von zwei Figuren. Zwei weiße Umrisse, einer mit einer Art Höcker auf dem Kopf, der andere ohne. Als ich durch den Kurpark in Wiesbaden ging, vorbei an zwei Damen, die auf einer Bank saßen, hörte ich eine der beiden mit tiefer Stimme sehr langsam sagen: „Da sind zwei Figuren..." | Dann gab es da „the evil T-Shirt", ein rotes Kleidungsstück, das ich in Saigon gekauft habe und das aus so festem Stoff war, daß ich selbst bei polarer Kälte oder im Weltraum oder so wo noch geschwitzt hätte. In den Tropen war es untragbar. Prickly heat, ein Ausdruck, den ich damals lernte. Der andere Grund dafür, daß ich es „teuflisch" nannte, war die Tatsache, daß es selbst nach dem wievielten Waschen noch soviel Farbe abgab, daß das Wasser nachher wie Himbeersaft aussah. Wenn das T-Shirt an der Leine neben einem Hemd hing, hatte das nachher rote Linien und Spritzer. Einmal ist mir das passiert, und das entsprechende Hemd sah dann so aus wie eines, das ich in Montreal gesehen hatte, ebenfalls cremefarben, mit roten Spritzern. Nur kostete meines nicht fünfhundert Dollar, sondern entstand aus Versehen im Keller. | In Triest habe ich ein Adreß-buch verloren, das war besonders ärgerlich. Vom Beifahrersitz aus hatte ich meine Freundin Marie ohne Karte und nach (verwirr-tem) Gefühl dort durch die Einbahnstraßen gelenkt, rechts und links, und dann konnte man nicht rechts, also wieder links, und noch dreimal, und wieder zurück, und erst Stunden später habe ich an das kleine Schwarze mit den Adressen drin gedacht. | Die Diskette, die ich wochenlang in einer Außentasche meines Rucksacks hatte, als man noch Disketten benutzte, war irgendwann verwittert, angefressen. Die habe ich nicht verloren, sondern weggeworfen. | Verloren habe ich einen Schirm, den ich mal früher in New York gekauft hatte. In JFK brachte ich ihn an den Schalter, und weil ich ihn nicht an Bord nehmen durfte, wurde er in eine eigene lange Schachtel verpackt. Der Delta-Mitarbeiterin war das offenbar zuviel Aufwand.

„Der muß ja was ganz besonderes sein."

„Er ist aus New York."

Meinem Notizbuch vertraue ich alle diese Dinge an, mögen sie dort gut aufgehoben sein. Im Austausch erhalte ich eine Liste von Installationen, die ich im New Museum gesehen habe und nun wieder aus meiner krakeligen Handschrift lese:

„Auf einem Spiegel liegen Steine, und einer ist mit gestrickter Wolle überzogen. | Ein bemalter Ast, rot und grün, und über die Stümpfe, wo kleinere Zweige abgesägt wurden, sind Wollmützen gestülpt. | Ein mehrfach angewinkeltes, breites Brett, das auf dem Boden steht, um einen Liegestuhl anzudeuten, und darüber ist eine bleiche rot-weiße Plane gelegt, und ein aufgeschlagenes Buch, auf dem Gesicht. | Quadratische Hocker, auf denen als Lehnen durchlöcherte Kartons stehen. | Eine auf die Wand geklebte Backsteintapete, auf die Zeitungsseiten geklebt sind. | Eine auf zerknautschten Schuhen ruhende, pinke Box, vielfach durchlöchert, und durch jede Öffnung ist ein Gürtel gezogen. | Ein gelber Gartenschlauch, der sich durch einen umgeworfenen Liegestuhl schlängelt."

Wie ich mich umsehe, fällt mir auf, daß mich die Gesichter am meisten fesseln, die ich am ehesten mit dem Wort „leer" beschreiben würde. Dann gehe ich ins Metropolitan Museum, und dort gleich in die beiden Bothmer Galleries. Die griechischen Rüstungen aus dem fünften Jahrhundert vor Christus. Muskulös und ohne Gesicht stehen sie mir gegenüber und warten, daß ich den Körper eines Kriegers in meiner Vorstellungskraft ergänze. Der Eindruck fortdauernder Abgeschiedenheit bestimmt das gemessene Tempo von Vitrine zu Vitrine. Zu dem Streitwagen, der von vier Pferden gezogen wird – zwei Fächer aus jeweils acht Hufen umwölken ihn wie der Staub, den sie aufwirbeln werden. Wie der Bediente einer vornehmen Abendgesellschaft tritt eine kleine Figur auf, beide Arme nach vorn angewinkelt, als brächte sie zwei Gläser. Für die sorgfältig Frisierten von Manhattans nahem Ostufer ist er womöglich zunächst nicht der Wagenlenker, der seine Zügel im irdenen Terror jahrtausendlanger Verschüttung verlor. Hier in der Antikensammlung gibt es Jugendliche, die für immer ihre Hände in einer großen Schüssel waschen, und Kranke, die niemals gesund werden. Auf dem gebrannten Ton blicken sie so gleichgültig, als wüßten sie das. Nicht wie Vermeers Briefleserin, die von der Nachricht ihrer Unsterblichkeit, erführe sie sie je, sehr überrascht wäre. Ihr Jahrhundert ist farbenfroher und besteht nicht nur aus kunstvollen Bordüren und glänzendem Terrakotta, nicht nur aus sechs Vasen, zwei davon liegend.

Ich gehe weiter, zu dem Frisierspiegel, über dem eine kleine Sphinx thront. Der Spiegel ist längst verschwunden, aber das rätselhafte Wesen schaut uns noch immer an. Hoffentlich bemerke ich es: Von den beiden Gesichtern ist es nicht meines, das bleibt. Von den beiden Seiten des Gesprächs sind es nur die Fragen. Die Besucher können nicht wissen, was sie sehen, die Wächter nicht, was sie bewachen. Und die Ahnungslosigkeit der Statuetten betrifft ganz zuerst ihren Aufenthaltsort. Gegenseitig bedenken sich alle mit Ruhe. In ihr wachsen die immensen Werte, in die Ruhe zurück und in das Unwissen. Etwas beschwert verlasse ich diesen Raum mit einem letzten Blick auf eine Europa. Sie steht in der Würde ihres wallenden Marmorgewandes, doch kopflos.

Später, nach einem Besuch der niederländischen Abteilung, bin ich mit meinem Urteil über Vermeer nicht mehr so sicher. Die junge Frau des Porträts scheint sich ihrer Unsterblichkeit sehr wohl bewußt zu sein. Oder besser: Sie scheint die Unsterblichkeit selbst zu sein.

Im Atrium zu dem großen Raum, in dem Clyfford Stills Werke hängen und durch den alle etwas schneller gehen, die *das auch können*, ruhe ich mich aus. Der Blick fällt durch die großen Glasfenster in den Park und auf die dahinter stehenden Wolkenkratzer. Museum und Stadt, so wird hier auf angenehme Weise und vielleicht sogar für die beiden selbst deutlich, können nicht ohne einander sein.

3

Ich treffe Joshua Mehigan in der Frick Collection, gegenüber vom Metropolitan Museum. Ich dachte, um erst einmal Kaffee zu trinken und einander kennenzulernen. Aber nein, Josh und seine Freundin Talia kaufen gleich Eintrittskarten, und wir gehen hinein. Darauf kommt es wohl an. Obwohl ich sein Foto auf seiner Website gesehen habe, habe ich ihn nicht erkannt – er ist etwas gedrungener, sein Blick unstet.

Wir lernen uns kennen, indem wir sehen, wie wir sehen. Gleich drei Vermeers hängen hier, zwei Holbeins. Wir stehen andächtig, Talia sieht mit dem geschulten Auge der Tochter eines Malers. Sie hat im Archiv der Sammlung eine Zeitlang gearbeitet, kennt das Haus. Ich sehe Personen auf den Gemälden. Josh meint irgendwann still, ja, aber er sehe wohl hauptsächlich auf technische Aspekte. Farbauftrag, Proportionen. Ohne diese keine Inhalte.

Als weniger bedeutende Maler uns weniger fesseln, kommen wir auf Edgar Bowers zu sprechen. Die Begegnung mit dem kalifornischen Meister noch kurz vor dessen Tod war ein Schlüsselerlebnis für Mehigan. In seinem Gedicht „Introduction to Poetry" schreibt er unter anderem davon, wie sie über die fast Vergessene sprechen, die Dichtung, die selbst Gespräch ist:

Sie kamen aus der Kneipe, durch die Gasse,
Der Junge und, todkrank, der alte Mann,
Den er besucht. Im Zwielicht überkreuzen
Sich Eichenäste über engem Weg,
Taktvoll gebeugt, wie es das Alter lernt.
Sie ähneln sich in ihrer Achtung vor
Der fast Vergessenen, sonst kaum. Weinlaub
Hängt über löchrigem Asphalt, dem Weg
Der beiden in die Nacht, bis dorthin, wo
Sie – wie sie jetzt schon wissen – umkehrn müssen.
Ihr einziger Versuch – es muß gelingen.
Der Junge sagt sein schwaches Sprüchlein auf,
Dem Alten, der im Dämmer auch den Klang
Der Schuhe durch die Gasse hören muß,
Zwangsläufiges Interesse an den neuen
Zellen in ihm, die seinen Geist verklären.
Doch als der junge Mann verstummt, der Klang
Der Schritte auf der Erde, trocken, nah,
Den alten Mann zum Sprechen schreckt, scheint er,
Vom Alter steif, zu sehen, am Klavier,
Wie seine ungeübte Hand noch einmal, doch,
Seine zeitlose Leidenschaft bezeugt.
Er hört noch einmal seine Stimme – Pause,
Kadenz; nach Rückschau, fallend, klingt sein Gang,
Und trotzdem wägt er, wie die Dichtung begann.

Bowers habe hart an jedem Gedicht gearbeitet, jedes perfektioniert. Diese Arbeitsweise hat sich auf den Schüler übertragen. Josh plant ein Gedicht lang, dann schreibt er es auf, und feilt ebenso lang daran weiter. Oft liest er sich das bisher Geschriebene laut vor. Ich frage ihn, was er als letztes geschrieben habe. Er habe schon eine Weile kein Gedicht fertiggeschrieben, sagt er.

„Ich könnt' mir natürlich jetzt eins ausdenken, einfach um deine Frage zu beantworten, aber wohl besser nicht." Er lächelt.

Wir gehen weiter. „Göttinnen sterben, wenn ihre Bäume sterben", zitiert er frei eine Stelle aus Bowers' „Autumn Shade", da sich vor uns Gainsboroughs schwebende Damen zwischen fein belaubten Bäumen ergehen. Für Meister wie für Schüler ist die Dichtung alles. Bowers überstand seine akademische Laufbahn beinah ohne wissenschaftliche Veröffentlichungen. Eine einzige Rezension habe er geschrieben, berichtet Josh lächelnd.

„Und die war negativ."

Josh wollte das Dichtersein vor einigen Jahren aufgeben. Zu wenig gelang, zu mühsam war es, und niemand interessierte sich. Als er das seinem Freund, dem Dichter Dick Davis, am Telefon klagte, waren schon zwei Briefe unterwegs: ein Verlagsvertrag für einen Gedichtband, der kurz darauf unter dem Titel *The Optimist* erschien, und die Benachrichtigung, daß ihm dafür der Hollis-Summers-Preis zuerkannt wurde. So ging es für ihn als Dichter weiter. Der Gedichtband ist düster, die meisten Menschen sind erschreckende, gefährliche Figuren. Selbstmord, Terror und zwischenmenschliche Achtlosigkeit bestimmen die Motive. Kritiker loben die Gleichzeitigkeit von Brutalität im Dargestellten und Konzentration in der Darstellung, die stille Brillanz der Sprache, ihre unbezweifelbare Kraft. Gangart und Tonhöhe überzeugten in Gedicht auf Gedicht, schreibt John Hollander, und Adam Kirsch erklärt in der *Contemporary Poetry Review*, Joshua Mehigans Gedichte zeigten auf eine tiefe und direkte Art Verständnis für menschliche Traurigkeit; „wenige amerikanische Dichter, ob sie jung sind oder alt, scheinen so viel erfahren zu haben." Sauber, streng, hart, solche Attribute kehren in den Besprechungen immer wieder. Diese Eigenschaften sind in der Tat an fast jeder Zeile ablesbar. Optimistisch ist jedenfalls nichts an diesem Band.

„Ich mag keinen Humor in Gedichten", sagt Josh lakonisch.

Beim Vietnamesen in Greenwich Village setzen wir unsere Unterhaltung fort. Josh gibt mit nachlässiger Bescheidenheit Auskunft, sprunghaft. Talia strahlt Zuversicht aus. Er interessiere sich ja eigentlich für Physik. Da sei noch was zu entdecken. Mathematiker müsse man sein, allein schon wegen der Klarheit. Bowers mochte keine Kinder. Ob ich viel ins Kino gehe? Sie beide sehen jede Menge Filme, das könne man gut zu zweit. Ohne daß ich danach frage, sagt Josh, er treffe nur selten andere Menschen als seine engen Freunde. Bei den meisten, denen er begegne, habe er nach kurzer Zeit das Gefühl, daß irgend etwas an ihnen auf grauenvolle Weise nicht stimme. Er sagt es lächelnd, sodaß man diese Menschen im Geiste gleich vorwurfsvoll fragt, warum sie sich nicht zusammenreißen können. Oder meint er etwa auch schon mich? Offenbar nicht, aber ich beschließe, diese Möglichkeit nicht aus den Augen zu lassen. Einige Wochen nach unserem Treffen schickt er, unkommentiert, eine Liste mit 100 Filmen, die ich unbedingt sehen müsse.

Fast ohne daß ich darauf eingehen kann, fragt mich Josh, welche deutschen Dichter sich lohnten, welche amerikanischen ich gelesen habe, außer der formalistischen Tradition, Davis, Bowers, Yvor Winters, auch weiter zurück, Tuckerman, den keiner kennt, George Meredith, Sonette? Und die Franzosen? Valéry, Rimbaud (er übersetzt beide), die Namen kullern auf mich zu, ich kann sie gar nicht alle auffangen, aber für Josh sind sie da, Frost zwiespältig, wie auch sonst, Auden natürlich, Tennyson, dazu muß man sich irgendwie stellen, Dryden, Puschkin auch.

„Ich habe ja eigentlich gar nichts gelesen", sagt er dann.

Klar.

„Gibt es auch irgendwas, was du nicht gelesen hast?"

„Krieg und Frieden."

„Ich hab überhaupt nur einen Dostojewski gelesen, und das war *Anna Karenina*, und auch nur zu drei Vierteln."

Da ich ihn ungläubig anschaue, löst Josh die Spannung gleich auf: „Nur Spaß."

„Ach so. Also dann nehme ich mir hiermit vor, das letzte Viertel von *Anna Karenina* zu lesen."

Wir spazieren über Washington Square, wo Henry James lebte, was Josh – ohne daß ich erfahre, warum – daran erinnert, daß Dick

Davis ihm sagte, er habe gerade die gesamten (tratschträchtigen, uferlosen) Tagebücher von Samuel Pepys gelesen.

„Zum zweiten Mal!"

Ein Mann im Nadelstreifenanzug geht an uns vorbei. Er trägt weiße Turnschuhe. New York! Josh ist hier in seinem Element – er wurde in New York City geboren, wuchs aber, „leider", auf dem Land auf, wo New York schnell zum Gerücht wird, und wo man gefühllos Schweine schlachtet, wie er es in „The Pig Roast" dargestellt hat:

Der Nachmittag ließ nach. Der Pool war glatt.
Und Kinder spielten bei dem leeren Trog.
Die kleine Stadt war hinter Bäumen weit
Genug entfernt, sodaß sie aussah wie
Ein Faden Straße, Kästchen, kleine Ställe
Auf einem Ast. Die Eltern schwärmten ein
Zu Cocktails, und die ersten Glühwürmchen.
Die Kinderschuhe waren voller Land.
Sie sahn dem Landarbeiter zu, der draußen
Im Dämmer eine Traktorachse ölte.
Sie folgten ihm mit hundert langen Fragen,
Bis eine Tante sie nach drinnen rief.
Eilfertig machte eine dicke Mutter
Sich an verdreckte Schuhe, feste Knoten.
Der Landarbeiter machte Schluß für heute.
Hockt bei der Büchse, die vom Zaun hängt, kratzt
Dem Schwein den dicken Kopf – steht langsam auf,
Als balancierte er eine Tasse Tee.
Der Landarbeiter spuckte nach dem Schuß,
Mit einem Lappen wischte er den Schmutz
Des Tages, der nun um war, von den Händen
Und wandte sich der Nacht zu, ihrer Arbeit.

Wir kommen zurück auf deutsche Dichtung, und die wichtigste Frage ist, was denn der deutsche Vers sei.

„What is THE LINE in German?"

Die englische Sprache habe eine natürliche Tendenz zum Blankvers, den der Earl of Surrey fand, als er Vergils *Aeneis* übersetzte. Ich versuche mich an einer gescheiten Antwort und sage, daß Deutschland zwar auch eine lange Blankvers-Tradition habe, daß aber, weil deutsche Wörter und Satzteile meist länger seien, dieselbe Eleganz wie im Englischen schwerer zu erreichen sei. Da müsse man wohl den Heptameter pflegen, gibt Josh zu bedenken. Das nehme ich mit, das gebe ich gern weiter.

Auf dem Weg gehe ich in eine Buchhandlung und kaufe noch ein Exemplar von *The Optimist*. Talia und Josh winken, als ich die Treppen in die U-Bahn-Station Christopher Street hinuntergehe. Aufblickend sehe ich durch das Gitter die beiden weggehen. Einige Wochen später haben sie geheiratet.

4

In Newark stehe ich in der Schlange beim Check-In, hinter mir zwei junge Damen mit Kopftüchern. Weil es nicht vorangeht, unterhalten wir uns.

„Where are you from?"

„Germany."

„Which part?"

„The West."

Dunkel erinnern sie sich, daß es einmal zwei Teile gab.

„Warum gab es da zwei Teile?"

„Der Kalte Krieg", helfe ich bereitwillig aus.

„Ah, ja. War das das mit den Nazis?"

Wieviel mehr weiß ich eigentlich über die Länder, die ich in den letzten Jahren gestreift habe? Mit einer Fußzehe berühre ich mein Gepäck, meine geliebte Reisetasche, um den Kontakt mit ihr zu halten. Eine der kanonisierten Darstellungen Buddhas, Bhūmisparsa Mudrā, zeigt ihn in einer Position, da er mit nur einem Finger den Boden berührt – die kleinste Geste sorgt für kraftspendenden Austausch. Bodenhaftung verliere ich oft genug, wenigstens die Tasche soll mir bleiben.

Flughäfen sind die Zweitsprachen der Metropolen. In den Innenstädten werden Muttersprachen gesprochen, und hier draußen die auf Funktionen reduzierten Zeichensysteme erlernter Sprachen. Anzeigetafeln und Aussichtsfenster, die keinen Widerspruch gewohnt sind. Inseln des Indisputablen, nicht fremd und nicht vertraut. Irgendwann hatte ich mir mal vorgenommen, über Graffiti in Flughafentoiletten zu promovieren. Daraus wurde nichts. Einige Perlen besitze ich aber noch, zum Beispiel aus Frankfurt: „No abortion clinic can have a waiting list longer than nine months." Daraus entspann sich ein kleiner Dialog. Die erste Reaktion lautete: „What's your fucking point, asshole?" Der nächste zeichnete einen Pfeil darauf und kritzelte: „American superhero."

Während in Frankfurt populärwissenschaftliche Zeitschriften in Fülle zu haben sind und in Heathrow Klatschblätter, sind es hier in Newark Sportmagazine. Meine Erfahrung, an einem Hauptstadt-Flughafen keine ausländischen Zeitungen oder Zeitschriften kaufen zu können, stammt zwar aus der Militärdiktatur Myanmar, aber auch in großen Städten der USA wird man schwer fündig.

Ich lese Sandor Marais Roman *Glut*, und esse einen Salat. Mark, dem ich davon erzähle, e-mailt zurück, ich hätte wissen sollen, daß die Worte Newark und Salat nicht zusammenpaßten. Aus Prinzip, dachte ich, gehe ich jetzt nicht bis ganz ans Ende des Terminal-Armes. Ich muß nicht dauernd Manhattan sehen. Auch immer dasselbe. Mein Grummeln wird unsicher untergraben von dem Bedürfnis, nachzuschauen, ob man wirklich Manhattan von hier aus sehen kann – wie sollte ich es sonst ignorieren?

Kein Spaziergang
(Ingrid Goering-Meyerhof)

1

Sie steht in der offenen Tür: Ingrid Goering-Meyerhof, neunzig
Jahre alt und ganz da in diesem Augenblick. Sie stehe „am Aus-
gang des Lebens, in einem Alter, wo man genug gesehen hat."
Danach will ich sie fragen: Wie fällt der Rückblick auf ein Leben aus, das durch lange Reisen und herausfordernde Bekannt-
schaften geprägt wurde? Auf dem Weg zu ihrer Wohnung in der
neuschottischen Hauptstadt Halifax fragte ich mich, ob sie Resi-
gnation oder Lebensfreude vermitteln würde. Da ich ihr begegne,
merke ich gleich: In ihrer festen Stimme klingt kein Wille zum
Abschiednehmen, sondern das ruhige und so seltene Bewußtsein,
den eigenen Rhythmus selbst bestimmen zu können. Schon diese
Festigkeit nehme ich als eine Antwort an: Vertrauen in die Welt
haben. Seit zwanzig Jahren wohnt Ingrid in Halifax. Sie ist die
Tochter des expressionistischen Dramatikers und unermüdlichen
Wanderers Reinhard Goering, und sie war mit Gottfried Meyerhof verheiratet, dem weltbekannten Ingenieur und Sohn des Me-
dizin-Nobelpreisträgers Otto Meyerhof.

Nach dem Tod ihres Mannes, der einen Lehrstuhl an der hiesigen Dalhousie University hatte, zog sie um, in ein Zimmer mit
Meerblick.

Damit ist sie zufrieden: „Ich kann den Mond und die Vögel
sehen, das konnte ich früher nicht. Sowas gibt doch ein angenehm
freies Gefühl."

Die Sonne scheint herein, und wir entscheiden uns zu einem
Spaziergang. Ingrid zieht ihre Schuhe an, hilft sich dabei mit einem metallenen Schuhlöffel. Der sei „aus Flugzeugen", sagt sie.
Nach dem Krieg habe man Schrott wieder in alles möglich Nütz-
liche verwandelt. Ein Anzeichen für den Willen zum Weiterleben,

123

und für die Kraft dazu. Aber witzig sei es schon, sich vorzustellen, daß dieser Schuhlöffel einmal durch die Luft geflogen sei. In der kalten, klaren Märzluft treten wir auf die Straße, an deren Seiten sich glänzend schwarzer Schnee kniehoch hält. Wir passieren die Filialen der immer gleichen Ketten. Der haligonische Winter ist noch lange nicht vorbei, und so sind die Bäume kahl. Auf dem Gehsteig liegen hingeworfene Flaschen. Am Hafen erstreckt sich ein gigantischer Parkplatz für die Gäste des Westin-Hotels, für die wenigen, die am Bahnhof in den Zug steigen, und vor allem für den Megamarkt. Möwen fliegen um uns herum, und Enten verrichten ihr Geschäft des scheinbar ziellosen Herumwatschelns am Ufer.

Entschiedenen Schrittes geht Ingrid mir voran. Sie kennt ihre Wege. Daß ich nicht nur an ihrem Vater interessiert bin, sondern auch an ihrem eigenen Lebensweg durch das quälend lange 20. Jahrhundert, verwundert sie zunächst. Aber sie genießt die Aussicht, Erinnerungen aufzufrischen.

„Es kommen auch Irrtümer vor", warnt sie mich.

2

Sie entscheidet, daß die Erzählung in der Kindheit anfangen muß, und damit doch beim Vater. Sie beginnt mit einem Augenblick, der ein Wendepunkt in seinem Leben hätte werden sollen. Goering zog 1914 sein medizinisches Examen vor und meldete sich freiwillig, wie es zum guten Ton gehörte. Aber der Einsatz im Ersten Weltkrieg endete nach wenigen Wochen in einem Davoser Sanatorium – Tuberkulose. Von vielen in Deutschland wurde der Kuraufenthalt als Fahnenflucht, zumindest als Feigheit gedeutet. Goering war als Arzt eingesetzt worden, als „Schneider am Menschen", wie er selbst sagte. Er lernte die Schrecken des Krieges kennen und sollte sie mit den eigenen Händen lindern.

An verschiedenen Orten versuchte er nach dem Krieg, sich als Arzt zu etablieren. So auch im Berliner Arbeiterbezirk Wedding. Einmal durfte die Tochter mit, sogar mit ins Behandlungszimmer. Dort saß eine alte Dame mit hochgezogenen Ärmeln, der der Vater Blut abnehmen sollte. Er setzte die Nadel an, traf aber keine Vene. Und auch nicht beim zweiten Versuch. Für die Patientin muß es schmerzhaft gewesen sein, für das Kind unangenehm: den Vater in einem so alltäglichen Geschäft scheitern zu sehen. Versuche, sich eine Existenz als Heilpraktiker, Kur- und Kassenarzt zu gründen, verliefen immer wieder im Sande. Seine Methoden waren unorthodox bis revolutionär. Jede Behandlung begann nicht mit der Feststellung eines Schmerzes, sondern mit der tiefsinnigen Frage: „Was fehlt Ihnen?" Wenn er nicht helfen konnte, stellte er keine Rechnung. Goering ist seiner Tochter besonders als charismatischer Redner in Erinnerung. Selbst die Erinnerung an seine „unendlichen Frauen" verblasse gegen das Talent des politisierenden Autors, über eine Fülle von Themen packend zu dozieren.

„Seine IDEEN!" sagt die Tochter fest, hochfahrend, und immer noch mit Bewunderung gegenüber ihrem Vater, den Mißerfolge nur anstachelten. „Er hatte einen Bekannten, den Juristen Urban Kauth, den wollte er vom Spießertum befreien."

Sinnbildlich wurde ihr das, als der Vater dessen Bücher als unnütz bezeichnete und sie aus dem Fenster warf. Die Gläser mit bürgerlich eingemachter Marmelade aus dem Keller gleich hinterher. Kasimir Edschmid schildert in seinem Expressionisten-Buch weitere ungewöhnliche Therapien. Goering verfocht vegetarische Ernährung und das Fasten als Kur, ja als großes Erlebnis. Fast erschütternd sei es, sagt die Tochter, wenn man feststellt, „daß man das dann kann" – einfach elf Tage lang ohne Essen auskommen und sich noch wohlfühlen!

Goering näherte sich dem Buddhismus, zeitweilig sogar dem Nationalsozialismus (einige Monate ist er Mitglied der Partei, tritt aber schon vor 1933 wieder aus), interessiert sich für den demokratischen Nationalismus und für den Katholizismus, zu dem ihn ausgerechnet die Lektüre Stefan Georges brachte. Er stellte Fragen und verlangte Antworten, gab sich aber nie zufrieden. Er spitzte zu, formulierte Widersprüche und zeigte Möglichkeiten auf. Seine Figuren sind Idealisten, die ihre Ideale nicht erfüllen können. Sie geben sie nicht auf, sondern an den Zuschauer weiter. Seht, was ihr daraus macht! Der Kämpfer gegen Bürokratismus und Formularwesen mußte sich doch mit Verwaltungen auseinandersetzen: Lange war er von der Sozialhilfe abhängig, immer wieder bewarb er sich um Stipendien.

Mit den dichterischen Vorbildern Henry Benrath und Stefan George kam keine dauerhafte Verbindung zustande. „George war die große Enttäuschung in seinem Leben", sagt Ingrid. Von ihm hatte er sich geistige und menschliche Unterstützung erhofft; er wollte in einen starken Bund aufgenommen werden, wollte Freundschaft und Dienst erleben. Doch zu dauernder Hingabe war er weder willens noch fähig. Mich beeindruckt sein verwegener Mut: Als Brecht schon auf der Flucht ist, verteidigt Goering öffentlich das Epische Theater. Durch seinen Freund, den Wiesbadener Buchhändler Hans von Goetz, versucht er, Kontakt mit dem Oppositionsverlag „Die Runde" des Rundfunkjournalisten und Dichters Wolfgang Frommel aufzunehmen. Frommel wird bald darauf in Amsterdam untertauchen, mit Claus, dem ich Jahrzehnte später begegnen werde. Goering steht für eine beunruhigende, geradezu paradoxe Mischung aus Schicksalsgläubigkeit und Weltbeglückungsträumen. Seine großen Werke sind weder pazifistisch noch kriegsverherrlichend, sondern saubere Diagnose.

1930 traf ein Telegramm ein: Mutter und Töchter sollen nach Berlin kommen: Die Aufführung! Reinhard Goering hatte zwölf Jahre zuvor seinen bis dahin einzigen Triumph erlebt, die Aufführung der *Seeschlacht* am Deutschen Theater unter Max Reinhardts Regie. Nun steht, nach langer Schaffenspause, *Die Südpolexpedition des Kapitäns Scott* an. Bei der Premiere trägt Goering eine grüne Krawatte. „Dann wird das die nächste Mode", ließ er im Brustton der Überzeugung verlauten. Nach der Vorstellung tritt er vor den Eisernen Vorhang, um den Applaus entgegenzunehmen.

„Da habe ich weinen müssen", sagt Ingrid, „wie er so dastand, schmächtig und allein vor all den Leuten."

Publikum und Kritik sind vom Stoff gefesselt, vom männlichen Wettkampf und von der kühlen Sprache. Aber grüne Krawatten werden nicht Mode, der Triumph eines vergangenen Jahrzehnts wiederholt sich nicht, und er wird sich nie mehr wiederholen.

Obwohl Goering ein Technik-Skeptiker war, schrieb er enthusiastische Flugzeug-Gedichte, als er als Luftfahrt-Korrespondent Freiflüge erhielt. In einem Nachstück zur *Südpolexpedition* schickt er gar den Gott Hermes in einem Flug „wie mit der Lufthansa" an den Pol. Er selbst war aber vor allem zu Fuß unterwegs. Immer wieder verschwand Reinhard Goering, manchmal monatelang, um durch Deutschland „spazierenzugehen", wie Ingrid es nennt. Das reizt mich. Goering, der Einsame, der Wanderer, der Buddhist und Bettler, der die stimmgewaltigen Autoren der Zwischenkriegszeit kannte, der sich als Arzt versuchte und mit dem Leben nie zurechtkam.

„Reinhard Goering hat immer wieder, auch zu uns Kindern, gesagt, daß man zwar nicht entscheiden könne, wann das eigene Leben beginnt, daß man aber über dessen Ende sehr wohl verfügen kann."

Er wehrte sich gegen den Zwang zum Überleben, gegen das rücksichtslose Überlebenwollen. Goering verstörte das unausgesetzte Kämpfen, an dessen Ende man „nicht einmal tot" ist. Der Dichter, der bald zum Protagonisten der Neuen Sachlichkeit wurde, machte 1936 seinem Leben voller Ideen und voller Enttäuschungen in der Nähe von Jena tatsächlich ein Ende. Auch sein Vater hatte sich umgebracht. Dessen Leben als Ingenieur war kaum weniger von Ortswechseln geprägt als das seines apodemialgischen Sohnes.

3

Ingrid wurde am 9. November 1915 in der Schweiz geboren, drei Jahre bevor sich an ihrem Geburtstag zum ersten Mal die deutsche Welt grundlegend veränderte. Des Vaters (erste) Frau Helene war ihm an den Ort seines Kuraufenthaltes gefolgt. Für Ingrid bedeutet ein Zufall, der später prominente Name, großes Glück: In dunklen Zeiten erspart er ihr wohl manches Mal Schwierigkeiten. Im Dritten Reich wird sie vorgeladen. Ihre Mutter begleitet sie, wartet vor der Tür. Da hilft ihr der Name – wer wollte sich mit jemandem anlegen, der vielleicht Verbindungen zu höheren Stellen hat? Nach drei knappen Fragen ist sie wieder draußen.

Ingrid konnte indes nur einen halben arischen Nachweis vorweisen und leidet unter den Folgen dieser „Schande" bis heute. Sie durfte nicht studieren. Sie wollte Schauspielerin werden, und ihre Freundin Lisbet drängte sie, unbedingt bei der Schauspielerin vorzusprechen, zu der sie selbst gehen wollte. Ingrid folgte in ihrem schönsten Kleid. Das Vorsprechen verlief erfolgreich, und es wurde ihr gesagt, daß man sie brauchen könne und sie mit auf Tournee gehen würde.

„Ich tanzte innerlich vor Glück und schwankte zur Türklinke, die ich schon berührte, da hörte ich noch einmal eine Stimme: ‚Sie sind doch arisch?'"

Mit leisem „Ja" verschwand sie für immer aus dem Schauspielerleben. Ingrid wuchs protestantisch auf und erfuhr von ihrer Abkunft erst spät. Sie hatte Glück.

Ingrids geliebte Mutter Helene Gourovich wußte von Rußland her, was Pogrome sind. Sie stammte aus Odessa. Helene war das einzige Kind ihres Vaters, eines Hals-, Nasen- und Ohrenarztes. Er hatte für seine Tochter ein Pferd im Stall und einen Affen im Käfig. Zuhause lernte sie fünf Sprachen und dazu die Geschichte der betreffenden Länder. Sie war an Kunst interessiert, und das bedeutete unausweichlich, nach Paris zu reisen. Im Jahre 1911 fährt sie, um Malerei zu studieren. All ihre Zeit verbringt sie im Louvre, bis sie auf der Treppe einer Untergrundstation den Bildhauer Walter Wolf und seine Frau trifft, die ihr einen Reinhard Goering vorstellen, der sich in ihrer Gesellschaft befindet.

1912 ist das erste Kind unterwegs, und so wurde eilig geheiratet – die Ehe wurde 1926 geschieden. Sich mit dem Erbe ihrer Mutter auseinanderzusetzen, habe sie lange vermieden.

„Das ist wohl eine Art praktischer Feigheit", sagt sie. Irgendwann knüpfte sie aber doch an ihre Vergangenheit an: „In den Achtzigern sind wir nach Odessa gefahren, und da habe ich die Treppe gesehen", verkündet sie.

Die eindrucksvolle, mit optischen Tricks angelegte Potemkinsche Treppe vom Museumsbezirk zum Hafen herunter wird in Eisensteins Film *Panzerkreuzer Potemkin* prominent gezeigt. Über den Film hatte in den Zwanzigern Goering eine enthusiastische Kritik geschrieben, in der er die sichtbare Fähigkeit zum Sieg bewundert. Daß es sich um den Sieg einer kommunistischen Revolution handelt, war für den ideologischen Vagabunden „nur ein Zufall". Ingrid reiste weiter ins damalige Leningrad, wo sie den Panzerkreuzer Aurora besucht, der im wahren Wortsinn den Startschuß für die Oktoberrevolution abgab. Er ist seit den Fünfzigern ein Museum.

Ingrid wuchs in Berlin auf. 1920 erhielten Mutter und Töchter Besuch von Niddy Impekoven, jener legendären Tänzerin, die der Vater ein Jahr zuvor kennengelernt und erfolgreich von ihrer Anorexie, einer damals noch wenig erforschten Krankheit, geheilt hatte. Selbst von der zur Bissigkeit neigenden Berliner Presse der Zeit wurde sie als „Kind aus Poesieland" bejubelt. „Der Trancezustand, das Erdentrücktsein, die völlige Hingabe an die Musik mit allen Fibern" sei jedem Zuschauer spürbar, wenn die „Wunderblume mit dem umschatteten märchentiefen Auge" tanze. Bei ihrem Besuch in Berlin mußte sie feststellen, wie die Familie des kurzzeitig berühmten Expressionisten in ziemlicher Armut lebte, und schrieb tief bewegt in ihrer Autobiographie über jenes „Elend".

Erst heute merkt Ingrid, daß Reinhard Goering ein „unbefriedigender Vater" war. Wieviel Zeit sie überhaupt mit ihm verbrachte, falle ihr schwer zu sagen. Immer wieder war er verschwunden, ohne Nachricht über seine Pläne zu hinterlassen. Aber wenn er seine Kinder sah, behandelte er sie wie Seinesgleichen, sprach mit ihnen wie mit Erwachsenen. Zu Weihnachten 1934 schrieb er an seine Töchter einen Brief, in dem er sich anklagt, seinen beiden Frauen und seiner finnlandschwedischen Freundin Dagmar Öhrbom „schweres Unrecht getan" zu haben. Das „muß alles wieder gut werden, und Ihr müßt mir dabei helfen."

„Fünf Minuten vor Hitler" seien sie bei Albert Einstein eingeladen. Der Vater hatte gemahnt, daß sich die Kinder schön anziehen und gut benehmen sollten. Man klingelte an der Haustür und ein Hausmädchen machte auf. Im Haus herrschte eine eigenartig uneigentliche Stimmung. Der Tisch ist gedeckt, das Essen kann jeden Moment beginnen. Gläser, Teller und Bestecke sind bereit, frische Blumen in der Mitte. Die Familie Goering sitzt schon am Tisch. Dann kommt das Hausmädchen wieder, gibt Bescheid: Herr Einstein hat Deutschland verlassen. Das war im Dezember 1932. Einstein hatte ein Angebot aus Princeton angenommen, das ihn für sieben Monate im Jahr verpflichtete. Die Machtübertragung an die Nationalsozialisten führte aber dazu, daß er nicht mehr nach Deutschland zurückkehrte.

„Treppauf, treppab" habe sie nach dem Ende der Schulzeit nach Arbeit gesucht, wo auch immer eben ein Schild an der Tür hing, daß jemand gebraucht würde. Schließlich wurde sie fündig, im Shell-Haus am Landwehrkanal, einem der architektonischen Höhepunkte der Zwischenkriegszeit. Hunderte von Entwürfen mußte Emil Fahrenkamp vorlegen, bis es 1930 endlich gebaut werden konnte, als eines der ersten Gebäude Berlins mit einem Stahlskelett. 1931 wurde es eingeweiht und zum Hauptquartier der Shell-Tochter Rhenania-Ossag. Im Shell-Haus hat Ingrid ihren Vater zum letzten Male gesehen. Er kam und bat den Stockhüter, seine Tochter zu rufen.

„Ich kam staunend aus meinem Büro und sah den Vater, der dastand wie ein Verehrer, der eine Verabredung treffen will. Nach zwei oder drei Sätzen ging er zum Paternoster zurück, und er und ich sahen uns lange in die Augen." Bis sein Abteil für immer in der Tiefe verschwunden ist.

Das Gebäude wurde im Krieg beschossen. „Angst hatte ich damals keine, der Krieg hat mich gar nicht interessiert", sagt Ingrid offen, ohne Trotz. „Das Essen war in Berlin rationiert, aber immerhin gab es Essen. Meine Freundinnen auf dem Land waren viel schlimmer dran." Und rasch ergänzt sie: „Ich hänge nicht am Leben, nicht so sehr wie meine Schwester am Leben hing." Und religiös ist sie auch nicht. Das ginge bei ihr eben nicht. Daß es Gott gebe, könne ja sein. Aber auch er mache Fehler. Daß Speiseröhre und Luftröhre so dicht beieinander liegen, zum Beispiel, das ist doch ein Fehler, oder nicht? Da kann man kaum widersprechen.

Als das Shell-Haus getroffen wird, gibt es Tote in nächster Nähe. Ingrid sitzt im Luftschutzkeller, und neben ihr liegen schon Tote. Im benachbarten Keller gibt es eine Kuhle, zu der sie ein Kollege führt. Verkohlte Gestalten sind da; einer streckt noch seine Hand herauf. Bilder, die nie verschwinden.

4

Aus der Vielzahl von Restaurants, vom Italiener bis zum Inder, vom Äthiopier bis zur Karte mit heimischen Meeresfrüchten wählen wir letztere und genießen den Blick über einen weiten Hafen, dessen Bedeutung als Kriegsmarinestützpunkt über die Jahrzehnte abnehmen durfte. Im Zweiten Weltkrieg war Halifax Ankerpunkt der auf Europa gerichteten Operationen der Westmächte.

Ingrid Meyerhof ging nach dem Krieg, im Jahre 1948, mit Mutter und Schwester nach Chile, weil der Schwager dort Arbeit in Aussicht hatte. Ingrid besuchte Deutschland regelmäßig, auch einmal für längere Zeit, durchaus mit der Absicht, sich wieder dort niederzulassen. „Das allgemeine Bedürfnis nach goldenen Wasserhähnen stieß mich aber so ab, daß ich stets nach Chile zurückkehrte." In Santiago baute sie ein Zuhause auf.

Gleich zu Beginn durchquerte sie das Land mit dem 2CV von Norden nach Süden, von der Wüste bis ins Eis. Ihre eigene Südpolexpedition, gewissermaßen. Süffisant stellt sie sich auf die Seite von Amundsen, der besser vorbereitet gewesen sei als „der schöne Engländer" Scott.

Bewundernd erzählt sie: „Ich las in einem Buch, daß Amundsen in Grönland sogar das Leder persönlich prüfte, bevor er es für die Schuhe seiner Mannschaft in Auftrag gab!"

Ingrid lebte als zweite Frau von Gottfried Meyerhof mit diesem seit den Achtzigern in Kanada. Ihm gefiel die Tatsache, daß sie an seinem Geburtstag aus Santiago nach Halifax zog, wo er Dekan der Fakultät für Ingenieurwissenschaften war. Georg Gottfried Meyerhof, geboren 1916 in Kiel, war der älteste Sohn von Otto Meyerhof, Medizin-Nobelpreisträger von 1922. Für Söhne von Nobelpreisträgern gibt es nur zwei Möglichkeiten, sagt Ingrid: „Entweder man wird genauso gut, oder man wird verrückt." Preise, besonders der höchste, sind eine ebenso große Ehre wie sie eine Bürde sind. Gottfried trat bald aus dem Schatten seines Vaters. Er profilierte sich auf dem Gebiet der Bodenmechanik, übersah den Entwurf und den Bau von Brücken und einer großen Zahl von anderen Hoch- und Tiefbauprojekten. Über zweihundert Papers belegen heute seine herausragende wissenschaftliche Kapazität. Er war „ein Arbeiter", sagt seine Witwe. Und Fellow zahlreicher Gesellschaften in Kanada und darüber hinaus. 1999 erhielt er die höchste kanadische Auszeichnung, den Order of Canada.

Unser Mittagessen ist inzwischen beendet, und wir setzen unseren Gang durch Halifax fort. Wir brechen ins vornehme South End auf, wo Gottfried und Ingrid zurückgezogen zwischen hohen Bäumen lebten. Wir gehen über die Young Avenue in Richtung Point Pleasant Park, vorbei an den Villen der Wohlhabenden. Zu fast jedem Haus fällt Ingrid eine Geschichte ein. Nur von wenigen Häusern kennt sie die Besitzer nicht.

Und ihr Urteil über manche protzige Erweiterung eines ursprünglich bescheidenen Baus fällt harsch aus: „Da standen unbeschränkte Gelder zur Verfügung, und das kommt dann dabei raus." Staunend vermerkt sie die Anzahl Garagen, die zu manchem Haus gehören. Aber „wenn einer stirbt, wird verkauft." Sogar die quirlige Provinzhauptstadt Halifax hat, wie die meisten Orte der atlantischen Provinzen, ein Abwanderungsproblem.

Ingrids Pragmatismus ist erstaunlich. „Wie war es denn für Sie, auf einen anderen Kontinent zu ziehen?"

„Es war eben so."

„Aber Sie haben doch kein Spanisch gekonnt?"

„Das lernt man schon."

„Wo ist Ihre Heimat?"

„Dort, wo ich hingespült werde."

Das wollte ich hören. Greift eine solche Sachlichkeit auf andere Bereiche des Lebens über? Der leichte Schlaganfall, den eine Freundin erlitten hat, sei auch „interessant" und lehre, daß man im entsprechenden Fall rasch handeln müsse. Den Ausfall bestimmter Sprechfähigkeiten und die anschließende Therapie begleitet Ingrid neugierig. Eine andere Freundin leidet an der Alzheimerschen Krankheit. Offenbar schämt sie sich ihrer Vergeßlichkeit. Daher vermeidet sie klare Aussagen.

„Es gibt ja so viele Arten, sich zu drücken", seufzt Ingrid.

„Macht Sie das nervös?"

„Nein", sagt sie ruhig, „man muß Verständnis haben. Ich studiere das."

In ihrer surrealen Kurzerzählung „Die Ente" kommt Ingrids lakonischer Ton vollends zum Tragen: „Ein Krieg brach aus und sehr viele Menschen starben, sie starben schneller als gewöhnlich. Dann war wieder Frieden."

Der Lakonismus hat seine eigene ganz musikalische Linienführung:

„Ich saß am Tisch und aß", sagt sie deutlich, „mit Vergnügen." Dann macht sie eine Pause.

„Am Nachbartisch aber saß jemand, der aß nicht mit Vergnügen", und hier steigert sich die Stimme, „sondern mit Wildheit."

Schlußakkord, Ende der Beobachtung.

Eine Nachbarin in Halifax war Elisabeth Mann-Borgese, Thomas Manns jüngste Tochter. Mit 62 hatte sie eine Professur für Politik mit dem Spezialgebiet Meeresrecht an der Dalhousie University erhalten. Sie starb 2002 im schweizerischen St. Moritz an einer Lungenentzündung. Auch sie eine Frau mit großem Vater und professoralem Ehemann, auch ihre Familie von Selbstmorden überschattet. Ingrid begegnete ihr gelegentlich, und eines ist ihr in besonderer Erinnerung: Sie war jene Dame, selbst ausgebildete Konzertpianistin, die ihren Settern das Klavierspielen beigebracht hatte. Heute ist alles möglich.

Folgt man vom Schnittpunkt zweier Lebensläufe den Linien, die zu diesem Punkt führten, zeigt sich bald, daß die Linien zuweilen parallel verliefen. Auch Thomas Manns Frau Katia empfand ihre jüdische Herkunft als wenig prägend. Ihre Tochter Erika war bei Max Reinhardt ausgebildet worden, und ihre erste Liebe, der Verleger Klaus Landshoff, machte zur Behandlung seiner Tuberkulose einmal in Davos Station. Nachdem die Goerings Albert Einstein verpaßt hatten, saß er mit Max Reinhardt und Thomas Mann in Princeton an einem Tisch, wo sich deutsche Emigranten trafen.

Auf unserem Spaziergang komme ich der Neunzigjährigen manchmal kaum nach. Bei starkem Wind überlege ich mir auf der Uferpromenade, ob es wohl vorkomme, daß Menschen ins Wasser geweht werden. Neben mir geht Ingrid mit entschiedenem Schritt und hat solche Sorgen offenbar nicht.

„Haben Sie je Sport getrieben?"

„Fit bin ich eigentlich immer gewesen", sagt sie. „Meine Spezialität waren Kopfstände. Beim Gang am Strand habe ich manchmal gefragt: Soll ich einen Kopfstand machen? Wenn alle ja sagten, habe ich einen Kopfstand gemacht."

Einfach so. Ich bin sicher, daß sie es auch heute noch kann. Wer denkt da nicht an Celan: „Wer auf dem Kopf geht, hat den

Himmel als Abgrund unter sich", hatte der gesagt. Doch im dunklen 20. Jahrhundert gibt es helle Flecken, Tage, an denen sich der Kopffüßler wieder umdreht. Man ist es eben so gewöhnt.

Wir sind zurück bei ihrem Zimmer. Ingrid schließt die Tür auf, dreht sich noch einmal um. „Ich habe ein langes Leben gelebt", sagt sie, und fügt staunend hinzu: „Und immer noch weiß man nicht, wie und wann es zu Ende gehen wird."

Maximin am Baggersee
(Leipzig)

Autobahn. Eine Stadt ist eine weiße Zeile auf Blau. Dreihundert Meter, zweihundert, hundert, Ausfahrt. Irgendwo in Europa. Keine Ahnung, wessen Schreibtisch es ist, an dem ich gerade schreibe. Wenn man zu fünft unterwegs ist, weiß man nie, wessen Idee gerade irgendwas war. Abends sitzen wir im Park und betrinken uns. Konrad packt Fotos aus, die zufällig noch in seinem Rucksack sind. Alles Leute, die ich nicht kenne, aber wir gucken sie trotzdem an. Bilder, die wir uns machen, ohne verstanden zu haben.

Als wir durch sind, schaut mich Konrad an, als wollte ich noch was sagen.

Am nächsten Tag fahren wir an einen Baggersee außerhalb von Leipzig, liegen im Gras, und einer hat eine Zecke. Meningitis, denke ich, Maximin ist daran gestorben. Als wir aus dem Wasser kommen, ist es heiß. Wir beschließen, nochmal nach Leipzig reinzutingeln, um was zu essen und ein bißchen rumzulaufen.

„Ich war zum letzten Mal vor 15 Jahren hier", sage ich, während wir an der Thomaskirche vorbeigehen.

Konrad, der sowieso immer zum Besten gibt, ich sei 135 Jahre alt, spöttelt über mein versunkenes Sinnieren: „Ha, damals stand die Mauer noch!"

„Ja, genau hier ist sie verlaufen", patze ich zurück und fahre mit dem Finger vor dem Goerdelerring durch die Luft.

Halb unabsichtlich habe ich die andern dann verloren.

Ich gehe die abendliche Straße entlang. Auf der Fahrspur der Stau aus Banalitäten und Obsessionen, ausgelaugten Hoffnungen und angestrengten Plänen. Mal bin ich mit meinen gleichmäßig hechtenden Schritten schneller, mal überholt mich die Reihe jener einzeln verpackten Männer und Frauen mit all ihren Eigenschaften, wenn sie mal wieder ins Rollen kommen. Mir fällt auf, wie unauffällig sich Autos bewegen – man sieht nicht die rasche

Sequenz von Beinbewegungen wie bei einem Hund. Reifen rollen einfach.

Wenn auch nur ein Mensch eine Zeitreise macht, verändert sich die Natur der Zeit. Wenn es in der Zukunft möglich würde, in die Vergangenheit zurückzufahren, würden wir das jetzt schon wissen. Der Zurückreisende nimmt unausweichlich Einfluß auf die Zeit, in die er eintritt. Aber warum ist das nicht dasselbe mit dem Raum? Warum kann man reisen, und doch verändert sich die Natur des Raumes nicht? Vielleicht weil der Raum ohnehin die Möglichkeit des Rückwegs offenhält, der Gegenseitigkeit.

Eine Joggerin joggt an mir vorbei, mit einem Hundetier an der Leine. Der Hund denkt wahrscheinlich, daß das Rennen ein Ziel hat, einen Zweck. „Ist es hier? Ist es das? Das ist es doch bestimmt? Ist es nicht? Na dann weiter! Hier vielleicht? Oder hier?" Dann liest er mit seiner Schnauze die Pinkelmarken der anderen Hunde, die hier vorher vorbeigejoggt wurden. Pinkeln ist für Hunde das, was für Menschen das Bloggen ist.

Es beginnt zu regnen, gleich in Strömen. Hinter meine Brillengläser fallen große Tropfen, und vor ihnen ist ein Brunnen. Vielleicht Poseidon. Oder Napoleon. So schnell gehe ich an der Haltestelle des Gewandhauses entlang, als hätte ich ein Ziel, wie die Wartenden oder die Töle von eben. Wo meine Leute sind, weiß ich nicht. Habe natürlich weder ein Telefon noch irgend eine Nummer im Kopf. Als es stärker regnet, mache ich mich darauf gefaßt, mit der Bahn zurück nach Wiesbaden zu fahren. Obwohl ich ja doch weiß, daß unser Leihwagen auf einem Parkplatz an der Käthe-Kollwitz-Straße steht. Zufällig habe ich vorher das blaue Schild gelesen. Als ginge ich am Rand eines Volksfests entlang. Schließlich erkläre ich dem Mann mit Krawatte an der Rezeption des Marriott mein Problem. Während ich seinen Teppich volltropfe, malt er mit dem Kugelschreiber eine lange Linie in den Stadtplan. Damit gehe ich weiter.

In der Kollwitz-Straße springt mir aus einem Hauseingang eine junge Frau entgegen. Sie streckt beide Arme nach vorn und formt mit ihren Händen eine Pistole. Da sie mich nicht erkennt, flüchtet sie mit einem Schritt unter das Vordach zurück, neben zwei Männer, die genauso laut lachen wie sie. Einer fragt mich, ob ich den Weg zur Schaubühne wisse. „Zur Schauburg", korrigiert ihn der andere. Den weiß ich natürlich nicht. Sie sind viel hektischer als der Regen und die Scheinwerferkegel mit ihren Autos. Wie Kutschen auf Wasserkufen. Aus irgend einem Grund gehe ich weiter, anstatt mit diesen Verrückten zu reden. Man denkt immer, es kommt noch besser.

Ich springe auf die andere Straßenseite, über vier lebhaft befahrene rutschige Spuren. Da ist eine Telefonzelle. Ich will die Hausnummer des Cafés raussuchen, das gegenüber von unserem Parkplatz liegt. Ich reiße die Tür auf und quetsche mich neben die Frau, die gerade spricht. Eigentlich müßte mir das unangenehm sein. Aber dann würde mich auch stören, wie ich aussehe. 28. Die Hausnummer. Ich beginne wieder zu laufen. Reihenhäuser aus der Gründerzeit werden von Plattenbauten abgelöst. Ich laufe in die falsche Richtung. Bei so großen Gebäuden stellt sich das natürlich erst nach einiger Zeit heraus. Auf dem Rückweg werden die Plattenbauten dann wieder durch Reihenhäuser aus der Gründerzeit abgelöst. Ich finde das Café, das zu hat, überquere wieder die Straße und treffe die drei Verrückten. Genau bei ihnen um die Ecke ist es. Peinlich.

Ich renne auf den Parkplatz, um nachzusehen, ob der weiße Kombi noch da ist. Das Gelände ist nicht beleuchtet. Bei jedem dritten oder vierten Schritt schwappt Wasser in einen Schuh. Der Wagen ist noch da. Für einen Sekundenbruchteil sehe ich den Hauptbahnhof vor mir, wie der Zug abfährt, den ich jetzt nicht nehmen muß, und die Gesichter meiner Leute, wenn sie mich finden.

Auf der Stufe eines schmal überdachten Hauseingangs stelle ich mich unter. Die trockene Stufe ist heller als das schwarz-nasse Trottoir. Ich ziehe mein T-Shirt aus. Es ist bestimmt viermal so schwer wie sonst. Während ich es auswringe, überlege ich mir, ob ich je mit nacktem Oberkörper an einer Ausfallstraße gestanden habe. Meine blauen Schuhe, die auf der Innenseite orange sind, sind steinhart. Nur wenig vor ihnen klatscht das Wasser auf den Boden, das sich eben noch an meiner Haut festhalten konnte. Ich ziehe das T-Shirt wieder an. Es ist aus New York. In meiner Hose mit den riesigen Wadentaschen ist eine Postkarte, die bestimmt schon durchgeweicht ist. An einen Freund in Berlin, den ich zum Frühstück einladen will.

Nach ein paar Minuten fährt einer mit dem Fahrrad auf den Parkplatz. Woher hat er jetzt das Rad? Konrad ruft meinen Namen, und ich schreie zurück. Er gibt mir die Schlüssel und fragt, ob ich nachher fahren wolle. Die andern tanzten unter dem riesigen Schirm eines Lokalsenders in der Fußgängerzone und hätten alle getrunken. Während er sie holt, lege ich ein Handtuch auf die Rückbank.

Beim Einsteigen finde ich in der Beifahrertür meine Mütze, die seit Monaten verschwunden ist. Es ist eine umgekehrte Wilhelm-Tell-Situation: vom eigenen Hut gegrüßt zu werden. Leider habe ich keinen Apfel dabei. Im Fach über den Vordersitzen ist aber eine Prinzenrolle, im Moment mein Hauptnahrungsmittel. Wenn da was Krebserregendes drin ist, bin ich in zwei Jahren tot.

Natürlich ist es nicht die Trockenheit, die den Innenraum zu einem Zimmer macht, sondern das Licht über dem Armaturenbrett. Aus dem gleichen Grund, wegen der Laternen, kommt mir manche Straße wie ein Flur vor. Ich klettere auf den Fahrersitz, stecke den Schlüssel ins Schloß, drehe. Das Radio springt an. Ich starte die CD, die wir schon wie oft gehört haben. Bruce Springsteen. Konrad ist ein Riesenfan vom „Boss". Wenn der mal ein Kind hat, heißt es Bruce. Außer natürlich wenn es ein Mädchen ist. Dann heißt sie Bruschetta oder so was.

Dann schreibe ich das alles auf. Vor allem überlege ich mir, wo Anke wohl gerade mit meinem Auto ist. Auf der Wiese am Baggersee habe ich es ihr vorher gegeben, weil sie nicht nochmal mit nach Leipzig wollte. Sie war sauer, weil sie verabredet war und schon Verspätung hatte. Wenn ein Scheinwerfer es beleuchtet, lese ich draußen an einer bröselnden Wand ein Graffiti: „Privateigentum. Betreten verboten." „Visions for a New Millennium" steht auf meinem T-Shirt. Jetzt kommen einige Schatten, die ich im Außenspiegel sehe.

Auf der Rückfahrt versuche ich, jenseits der Windschutzscheibe ein Licht zu fixieren. Weil sie beschlagen ist, ist es schon schwierig zu unterscheiden, was draußen und was nur gespiegelt ist.

Uns kommen Lastwagen entgegen. Einer nach dem anderen. Sie schieben sich voran wie Mammuts. Die Lichter über den Führerhäusern sind die Augen, und irgendwo sind ihre Stoßzähne. Es scheint, als seien sie schon seit Jahrtausenden unterwegs.

Nachbemerkung

Das Buch als Ganzes ist mein Dank an die Menschen, die das Beschriebene möglich gemacht haben. Hervorzuheben sind Anja Junghänel, die das Manuskript betreute, und Judith Wollstädter, die es anregte. Einzelne Teile oder Vorfassungen sind erschienen in *Merkur, Akzente, Castrum Peregrini, Der Literaturbote, Neue Sirene* und auf *literaturkritik.de* und *poetenladen.de*.

Über den Autor:

Christophe Fricker wuchs in Wiesbaden auf. Er verbrachte die letzten zehn Jahre größtenteils in Singapur, Halifax (Nova Scotia), Oxford und Durham (North Carolina). Eine der Reportagen, die er über diese Aufenthalte schrieb, erhielt den *Merkur*-Essaypreis 2007. Im Jahr darauf erschien sein Gedichtband *Das schöne Auge des Betrachters* bei Johannes Frank in Berlin. Er wurde mit dem Hermann-Hesse-Förderpreis 2009 ausgezeichnet. Frickers Übersetzungen aus den Werken der amerikanischen Gegenwartsdichtung erschienen u.a. im *Tagesspiegel*, in *Sinn und Form* und den *Akzenten*, Essays darüber auch in *Castrum Peregrini* und im *Merkur*.

www.aufenthalte.info